Éloge de la
fausse note

Infographie : Johanne Lemay
Révision : Maryse Barbance
Correction : Élyse-Andrée Héroux

Catalogage avant publication de Bibliothèque et Archives
nationales du Québec et Bibliothèque et Archives Canada

Vella, Marc

  Éloge de la fausse note

  Comprend des réf. bibliogr.

  ISBN 978-2-89044-826-1

  1. Vella, Marc. 2. Erreurs - Aspect psychologique.
3. Actualisation de soi. 4. Pianistes - France - Biographies.
I. Titre.

ML417.V438A3 2011   786.2092   C2011-941561-5

DISTRIBUTEURS EXCLUSIFS :

Pour le Canada et les États-Unis :
MESSAGERIES ADP*
2315, rue de la Province
Longueuil, Québec J4G 1G4
Téléphone : 450 640-1237
Télécopieur : 450 674-6237
Internet : www.messageries-adp.com
* filiale du Groupe Sogides inc.,
  filiale de Quebecor Media inc.

Pour la France et les autres pays :
INTERFORUM editis
Immeuble Paryseine, 3, Allée de la Seine
94854 Ivry CEDEX
Téléphone : 33 (0) 1 49 59 11 56/91
Télécopieur : 33 (0) 1 49 59 11 33
Service commandes France Métropolitaine
Téléphone : 33 (0) 2 38 32 71 00
Télécopieur : 33 (0) 2 38 32 71 28
Internet : www.interforum.fr
Service commandes Export – DOM-TOM
Télécopieur : 33 (0) 2 38 32 78 86
Internet : www.interforum.fr
Courriel : cdes-export@interforum.fr

Pour la Suisse :
INTERFORUM editis SUISSE
Case postale 69 – CH 1701 Fribourg – Suisse
Téléphone : 41 (0) 26 460 80 60
Télécopieur : 41 (0) 26 460 80 68
Internet : www.interforumsuisse.ch
Courriel : office@interforumsuisse.ch
Distributeur : OLF S.A.
ZI. 3, Corminboeuf
Case postale 1061 – CH 1701 Fribourg – Suisse
Commandes :
Téléphone : 41 (0) 26 467 53 33
Télécopieur : 41 (0) 26 467 54 66
Internet : www.olf.ch
Courriel : information@olf.ch

Pour la Belgique et le Luxembourg :
INTERFORUM BENELUX S.A.
Fond Jean-Pâques, 6
B-1348 Louvain-La-Neuve
Téléphone : 32 (0) 10 42 03 20
Télécopieur : 32 (0) 10 41 20 24
Internet : www.interforum.be
Courriel : info@interforum.be

07-11

© 2011, Le Jour, éditeur,
division du Groupe Sogides inc.,
filiale de Quebecor Media inc.
(Montréal, Québec)

Tous droits réservés

Dépôt légal : 2011
Bibliothèque et Archives nationales du Québec

ISBN 978-2-89440-826-1

Gouvernement du Québec – Programme de crédit
d'impôt pour l'édition de livres – Gestion SODEC –
www.sodec.gouv.qc.ca

L'Éditeur bénéficie du soutien de la Société de développement des entreprises culturelles du Québec pour son
programme d'édition.

Le Conseil des Arts du Canada
The Canada Council for the Arts

Nous remercions le Conseil des Arts du Canada de l'aide
accordée à notre programme de publication.

Nous reconnaissons l'aide financière du gouvernement
du Canada par l'entremise du Fonds du livre du Canada
pour nos activités d'édition.

Marc Vella

Éloge de la fausse note

Préface de Pierre Richard

Le jour
Une compagnie de Quebecor Media

Préface

Je n'aime pas les faux culs, les faux-fuyants, les faux sentiments, ni les faux-semblants, les faux cils et les faux problèmes, mais je dois me reconnaître un penchant pour les faux pas et les fausses notes. Je m'explique… Imaginons un petit matin brumeux. À la sortie d'une bouche de métro, une foule grisâtre comme le ciel se répand sur la chaussée avec la rectitude d'une armée en marche ; hommes et femmes, la tête basse, se précipitent sans joie vers leur labeur quotidien. Et voilà que l'un d'entre eux, appelons-le Philippe, lève la tête pour lancer un clin d'œil à une étoile qui s'est attardée entre deux nuages avant d'aller se coucher. Ce faisant, il loupe la marche du trottoir et s'étale comme une crêpe au beau milieu d'une flaque d'eau boueuse. Tout autour, nos petits soldats se désunissent ! L'un d'eux exécute un pas de côté, bien obligé, pour ne pas piétiner l'inconnu. Vous entendez bien, un pas de côté ! dis-je. Lui dont le trajet se répète tous les matins, immuable et précis comme celui d'un wagon sur ses rails, le voilà qui s'écarte ! Un autre ne peut s'empêcher de sourire, un troisième moins hypocrite s'esclaffe : un homme qui s'aplatit bruyamment sur l'asphalte, ça se déguste ! Et voilà qu'enfin, un autre encore lui tend la main pour l'aider à se relever. Alors moi, je dis : merci, Philippe. Votre chute a perturbé ce monde trop bien ordonné, trop formaté. Elle a bouleversé l'ordonnance d'un quotidien robotisé. Et un robot qui sourit et vous tend les bras a forcément une âme… Ah ! si, quand tout le monde se casse la gueule par-ci par-là, on pouvait prendre le temps de se regarder, de se tendre la main, celle du cœur! Alors vive les chutes! La chute d'un empire, celle d'un dictateur, du dollar, du Niagara, de la maison Usher ou tout simplement celle d'un clown qui se relève et se frotte les fesses en glapissant des «Ouille! Ouille! Ouille!».

Passons maintenant à la fausse note. Celle-là, je la savoure d'avance. La salle de concert est pleine à craquer. Un pianiste inspiré exécute avec fougue un solo; appelons-le Roger. Et voilà qu'avec ou sans préavis, entre un sol et un do bien à leur place, il nous balance un mi bémol au lieu d'un mi tout court. Qu'est-ce qu'il vient faire ici, ce mi bémol? L'écart est minime pourtant, mais ce demi-ton tonitrue dans les oreilles des auditeurs avertis. Roger grimace, Jean-Sébastien se retourne dans sa tombe et cogne de ses petits poings rageurs sur le couvercle de son cercueil, la baguette du chef s'envole dans les airs, la salle suffoque d'indignation. Certains sourient, d'autres sortent de leur torpeur. Vous avez bien entendu: un mi bémol, un mi bémol! Merci, Roger, de nous avoir offert cette superbe fausse note, ce mi bémol révolutionnaire. Vous nous avez réappris à écouter quelque chose que nous avons trop l'habitude d'entendre; en un mot, vous nous avez réveillés. Comme nous réveille, et c'est là où je voulais en venir, le livre de Marc Vella. Comme Philippe, comme Roger, Marc nous interpelle. Il nous invite à nous écarter des idées toutes faites, du chemin tout tracé qu'on veut nous imposer, du conforme, du conventionnel. Et surtout, il nous invite à réapprendre à regarder l'autre avec intérêt, tolérance et compassion parfois. Alfred de Musset disait: «Ah! frappe-toi le cœur, c'est là qu'est le génie!» Ce livre nous frappe en plein cœur et si nous tombons sous ses coups, qu'il en soit remercié. Vive les fausses notes, vive les faux pas! Ah! que voilà une belle chute.

Pierre Richard

Après tous ces millénaires, il est clair que condamnation et punition ne changent pas l'Homme.

Seules la compassion et la bienveillance permettent le miracle de la transformation.

Mettre des blessures sur nos blessures, c'est bâtir la malédiction.

Mettre de la tendresse sur nos blessures, c'est bâtir l'amour.

Chapitre 1

La grâce

«*Visez la grâce car elle vous vise…*»

C'est un fait indiscutable, Mozart était touché par la grâce. D'autres femmes et hommes sont dans le même cas. Pour n'en citer que quelques-uns dans le domaine de la musique : Bach, Chopin, Brahms, Beethoven ; pour la peinture et la sculpture : Rodin, Michel-Ange, Claudel, Picasso ; pour la littérature et la poésie : Hugo, Zola, Sand, Rimbaud, Colette, Char… Tant d'autres personnalités qui, dans d'autres domaines, excellent, qu'on appelle les maîtres, les génies, les lumières. Ils ont tous leur effigie quelque part dans une école, leur statue dans des conservatoires et des musées, ou une rue qui porte leur nom. Et puis, il y a les autres, les anonymes, la multitude. Pour ce *vulgum pecus*, point de salut, la grâce n'est pas là, sauf peut-être, occasionnellement, dans le cas d'un coup de chance incroyable et exceptionnel. De la part des professionnels des hautes institutions médiatiques et artistiques, peu d'intérêt et de regard pour cette populace. N'est pas élu qui veut… Tout cela me rappelle une anecdote. Garé rue Francis de Pressensé, à Paris, dans le 14ᵉ, j'attends tranquillement, assis dans mon fourgon, la fin de la projection de mon film, *La Caravane amoureuse*. Un homme, l'air d'un clochard, s'approche. Il marche lentement sur le trottoir, portant en bandoulière sur le côté droit une guitare dans sa housse. Cheveux longs et sales, mains dans les poches, pantalon noir élimé et crasseux tenu par des bretelles fatiguées, il marche au milieu du trottoir, inspectant murs et caniveaux comme s'il en était le propriétaire. Une cigarette roulée oubliée sur ses lèvres, il avance semblant marmonner quelque chose à quelqu'un d'invisible. Comme un brise-glace, son ventre imposant écarte les passants qui le croisent. L'homme ignore la foule qui l'environne, son regard est ailleurs, bien au-dessus des quidams qu'il semble effrayer. Arrivé à ma hauteur, il me regarde fixement et me demande : « T'as du feu ?

— Je ne fume pas, mon ami. Je n'ai pas la santé pour ça. »

Voyant sur mon fourgon la photo du piano dans le Sahara, il me dit : « C'est beau ça.

— C'est moi qui joue dans le désert mauritanien. Chinguetti, tu connais ?

— Tu joues quoi ?

— Ma musique.

— Ça n'existe pas ça, ce n'est pas possible. Avec tous les maîtres avant nous, on ne peut rien faire de nouveau. Face à eux, on est des petits.

— Comment peux-tu dire une chose pareille ? Chaque être est grand et tu l'es toi-même, lui fis-je, sûr de moi.

— Dis, pas de conneries, me dit-il brusquement. Gabriel Fauré et son *Requiem*, *Le marteau sans maître* de Boulez, Messiaen, Méfano, Murail, *Ouverture pour une fête étrange* de Levinas, Ravel, *Gaspard de la nuit*, *Le gibet*, *Scarbo*, les concertos en ré, en sol, Stravinsky, Petrouchka, *Le sacre du printemps*, Rachmaninov, les préludes, les concertos, les symphonies, Bartók, Prokofiev… »

Il ne s'arrêtait plus dans son énumération. « *La pavane pour une infante défunte*, Debussy avec son *Clair de lune*, Liszt et les *Jeux d'eaux de la villa d'Este*, tous des grands, et puis ils écrivaient sur la table, mon vieux, des génies tout ça. Nous, on n'est rien à côté…

— Dis donc, mais tu me sembles bien calé en musique. C'est ton boulot ?

— J'ai fait l'École normale de musique de Paris, mon p'tit gars.

— Ça alors, moi aussi. T'as connu Pierre Petit ?

— J'veux mon neveu. Un grand lui aussi.

— T'étais en quoi ?

— En classe de guitare.

— T'as connu Jacques Castérède ?

— Un sacré celui-là, un compositeur hors pair.

— Et tu joues encore ?

— Ça m'arrive, je gratouille, mais faut pas se leurrer, face à ces géants de la musique, nous sommes des minables. »

Cette histoire nous montre à quel point notre conception de l'art et de son enseignement peut être violente, brisant des élans, des expressions possibles, écrasant des êtres par trop sensibles. Mozart est grand, mais combien de générations de compositeurs, dans son ombre, furent souvent méprisés et ignorés de tous ? Pour ne prendre qu'un exemple parmi tant d'autres, Massenet et Liszt… L'excellence doit-elle être atteinte à ce prix ? Pour obtenir le meilleur, je ne crois ni au discours élitiste qui engendre mépris et indifférence ni à la comparaison lapidaire. Combien de personnes viennent à mes séminaires écrasées par des propos durs, bridées par un geste, un regard, brisées par des paroles maladroites ?… En voici quelques-unes que l'on m'a confiées avec émotion : « Un jour mon grand frère m'a interdit de jouer du piano. Il ne me supportait plus lorsque j'improvisais. À regret, j'ai tout arrêté », « Mon père m'a toujours dit que j'étais un bon à rien », « Mon mari me répète tout le temps : par respect pour la musique, ne touche pas au piano », « J'avais 6 ans, je voulais faire du piano, le directeur du conservatoire a regardé mes mains et a dit : Trop petites, tu feras de la trompette », « Quand je jouais du piano, mon prof me critiquait tout le temps », « Ma mère ne voulait pas que je joue, ça l'empêchait d'entendre la radio »… Je vois là un gâchis d'humanité, une perte incommensurable. Chaque fois que ces personnes se mettent au piano, je reste tellement surpris lorsqu'elles se laissent traverser par la grâce et qu'alors se révèlent toutes leurs richesses à travers les subtilités de leurs improvisations… Nous sommes tous incroyablement grands, méritant estime et considération. Le génie de chacun ne peut se révéler que si l'on est convaincu de cela. Si l'on pense qu'il y a les génies et les autres, s'impose l'idée qu'il y a des gens meilleurs que d'autres. Il n'y a plus qu'un pas à faire pour considérer que certains peuples sont au-dessus des autres. On connaît l'histoire du peuple élu: dernière guerre mondiale, cent millions de morts. Et pourtant… Cette « pensée nazie » est toujours là, sous-jacente, à son état plus ou moins embryonnaire, défendue aujourd'hui par presque tous les systèmes de société humaine. En réalité, il n'y a ni individus ni peuples supérieurs. *De toute façon, pas d'inquiétude, la vie se charge de fissurer ce genre d'idéologie jusqu'à ce que celle-ci finisse par s'engloutir elle-même dans ses propres ténèbres* », a dit Christiane Singer.

Pour la plupart des gens, la grâce reste une notion vague, associée souvent à la religion. Seul Dieu peut nous la donner et seulement sous certaines conditions, conditions différentes selon les courants de pensée. Mais ce qui est certain, c'est que tout le monde n'y a pas droit. La grâce, ça se mérite. En ce qui concerne les artistes, seuls ceux qui ont su fournir moult efforts, qui ont fait preuve d'opiniâtreté et vécu la souffrance au travail, qui ont répété comme des acharnés, ont fait tous leurs exercices, théoriques et pratiques, sont susceptibles de la recevoir. Mais là encore, rien de sûr. Comme l'a dit Thomas Edison, sentence reprise par beaucoup d'autres par la suite, « *le génie, c'est 10 % d'inspiration et 90 % de transpiration* ». L'inspiration menant à l'improvisation, aussi géniale soit-elle et même s'il y a un énorme travail en amont, n'a pas de réelle valeur intrinsèque. Son auteur ne rentrera probablement pas dans le Panthéon des grands maîtres. On ne mélange pas torchons et serviettes.

Souffrances, sacrifices, renoncements, efforts, voilà donc le portail d'entrée de la grâce. Quel étrange paradoxe ! Le chant de l'amour, générant le « J'ois* » de la joie pure, s'engloutirait dans ce goulet obscur ? L'étonnant dans cette histoire, c'est l'association du mot travail à l'idée d'efforts et de souffrances. On ne se débarrasse pas facilement d'un héritage, semble-t-il. D'après Wikipédia, le mot travail « *(du latin* tripalium, *instrument de torture) désigne l'effort, l'application nécessaires pour faire quelque chose. Par extension, il désigne également le résultat de cet effort. En italien, le terme* lavoro *(labeur) se rattache au latin* labor, *qui a la signification de fatigue, peine, et qui a donné l'adjectif laborieux. Le terme anglo-saxon* work *vient d'une racine indo-européenne que l'on retrouve dans le grec* εργον, *avec l'idée de faire, d'accomplir quelque chose. Le travail est ce qui lie un effort où l'on peut s'épuiser (voire une souffrance) à un résultat positif.* » Avec ça, nous voilà bien !

Au sujet de la souffrance, dans *Dialogues avec l'ange* de Gitta Mallasz, l'ange qui nous parle est clair : « *La souffrance n'enseigne pas, n'élève pas. La souffrance n'est pas nécessaire. N'attendez de la souffrance aucun fruit, rien de bon.* » Là encore, tout dépend de notre manière de considérer les choses. Le mot travail, lié aux vocables souffrance et effort, ne pourrait-il pas plutôt être associé aux mots joie et plaisir, que seule procure une réalisation personnelle au service de l'éveil de tous, ce qui nous amènerait à dire que le génie, c'est 10 % d'inspiration et 90 % de joie ? Cela dit, les choses commencent à bouger. Il n'y a pas si longtemps, toute musique improvisée ne méritait pas le nom de grande musique. Les créations sonores des autres continents ne restaient qu'une expression de « sauvages ». Aujourd'hui, avec l'engouement pour la world music, la donne a changé. Tout le monde s'accorde à dire que les musiques dites primaires sont extrêmement importantes, qu'elles constituent le fondement même de notre humanité,

---

* Première personne du singulier de l'indicatif du verbe ouïr, qui signifie entendre, écouter.

patrimoine donc très précieux que de nombreux producteurs recherchent, répertorient, enregistrent et diffusent. Par ailleurs, il n'est pas rare d'entendre des mariages heureux entre ces musiques orientales, africaines ou amérindiennes et la musique classique occidentale. Pour exemples célèbres, Yehudi Menuhin et Ravi Shankar, le *Mozart l'égyptien* de Hughes de Courson, le *Kyrie Eleison* et *Ameno* du groupe Era, Peter Gabriel et Nusrat Fateh Ali Khan, l'ensemble Lambarena *Bach to Africa*, les artistes Azmari et le Baroque Nomade emmenés par la passion du chef d'orchestre Jean-Christophe Frisch, et tant d'autres magnifiques réalisations.

Pour beaucoup de personnes, la grâce est considérée comme rare et infidèle. Elle se manifeste souvent sans prévenir, parfois devant nos yeux ébahis (lors d'un exploit sportif retransmis en direct à la télévision, par exemple), mais la plupart du temps, elle opère dans l'ombre et le silence. L'idée que la grâce constitue un phénomène exceptionnel est tellement ancrée dans les esprits qu'elle ne semble pouvoir qu'échapper à l'artiste. Qui n'a pas connu ou entendu parler de l'angoisse de la page blanche de l'écrivain ? Du coup, dans combien d'histoires célèbres alimentant un folklore se raconte la tyrannie de grands créateurs tourmentés, colériques, obsessionnels, désespérés, dépressifs, suicidaires ?... Quand il y a des jours « avec », tout va bien, mais les jours « sans » sont perçus comme une véritable trahison du ciel. Comparable au drogué qui n'a pas sa dose, l'artiste ne répond plus de rien. Gare à ses foudres s'il est dérangé pendant qu'il crée et perd le fil. Il arrive même que plus rien ne vienne, que ce soit le vide absolu. Alors, que ne ferait-il pas pour retrouver cette grâce volage ? Drogue, alcool, hypnose, sexe, violence... Heureusement pour lui, l'artiste bénéficie d'indulgences et de passe-droits que la plupart des gens n'ont pas. Son rapport à la grâce lui donne des privilèges certains. Mais cette position avantageuse suscite souvent médisances, jalousies et railleries. L'échafaud de la critique et de la rumeur se dessine presque toujours en ombre chinoise derrière les feux de la rampe. Quelques-uns cependant, malgré l'odeur de soufre qui les entoure, arrivent à obtenir l'affection des masses. Leur vie faite de frasques et d'excès alimente la chronique des journaux populaires. Les gens aiment lire les joies et malheurs de leurs vedettes préférées, leurs amours multiples, leurs dépressions, les excès qui les conduisent à «péter les plombs», le récit de l'achat de leur dernier yacht ou de leur prochaine villa de rêve… Ces artistes sont les porte-paroles des souffrances, peurs, fantasmes et désirs inavoués du bon peuple qui trouve là un peu de «rêve par procuration». Hélas, dans toute cette débauche émotionnelle, peu de place pour la grâce. Seul l'ego, surdimensionné par des médias tout-puissants, est mis en avant. De ce fait, certaines stars sont convaincues qu'il y a elles, Dieu et les autres. Vêtu des projections fantasmagoriques de ses fans, l'artiste, tout en fascinant son public, se fascine lui-même. Auréolé de mystère, il jouit littéralement de cette position particulière qui lui donne un statut particulier. Pour l'artiste idolâtré, l'excentricité est de rigueur, créant des phénomènes de mode auxquels s'identifient les gens jusqu'à parfois se perdre. Virginie, Michaël, Stéphane et Chloé n'existent plus vraiment en tant que tels. Au lieu de se relier à leur Soi profond, ils se connectent à Internet pour regarder les vidéoclips de leurs idoles, *addicts* à cette pseudo-réalité. Attention à leur réaction si le désir vous prend d'amener tout ce petit monde vers plus de conscience! «Touche pas à ma *life*», répondent-ils agressivement. Leur «*life*» est une tartufferie, mais ils ne le savent pas encore. Ils n'ont pas compris que la vraie vie est autre, au bord du silence, au cœur du Soi en résonance avec le cœur du cosmos tout entier…

Mais le Soi, qu'est-ce donc? Pas grand-chose assurément. Dès que la personne l'expose et l'exprime avec conviction, les retours sont souvent ceux-là: «Tu te prends pour qui?», «Tu penses que tu vas changer le monde?», «Tu te crois irremplaçable?», «Quel prétentieux, celui-là…» Le Soi, dès qu'il chante, est souvent réduit, rabaissé, sali. Du coup, qui a vraiment envie d'aller à sa rencontre ? C'est comme si vous vous rendiez à un endroit et que tout le long du chemin vous entendiez des gens vous dire : « C'est nul cet endroit, c'est moche, c'est sans intérêt… » Assurément, vous faites demi-tour ! Si bien que peu de gens vont vers eux-mêmes.

Voilà pourquoi il n'y a rien d'étonnant à voir dans les transports en commun et les rues des grandes métropoles des millions de personnes errer sans joie dans leur vie. N'étant pas vraiment reliées à elles-mêmes, elles ne voient pas le sens profond de l'existence. Pour compenser et tenir, tabac, alcool, vitamines, antidépresseurs sont les béquilles. Telle est la réalité actuelle. Dans notre monde, la seule connexion qui vaille, c'est Internet. L'épanouissement se trouve hors du Soi, vendu chèrement par des marchands d'illusions. C'est le grand leurre qui rend fou, qui conduit lentement l'humanité vers la désespérance. Il est clair que le système économique se nourrit grassement de cette négation du Soi qui engendre des frustrations sans borne. Le Soi nié génère les malades à *soi-gner*. Le Soi nié rend les gens consommateurs, dépendants, corvéables à merci, facilement contrôlables. Tout notre système a établi son fonds de commerce sur l'idée, prônée par les trois grandes religions, selon laquelle nous sommes pécheurs, fautifs, défaillants, en un mot, que nous sommes de facto coupables… Et nos médias ne cessent de s'en faire l'écho. Face à cette véritable entreprise de démolition programmée, comment croire en l'humanité, et comment évoluer et grandir ? Comment croire en notre Soi et en sa musique intérieure ? D'ailleurs, quelle musique intérieure ? Existe-t-elle réellement ? Tout contribue à ce que les gens ne l'entendent pas. Télés, radios, portables, baladeurs, encarts et affiches, harcèlement par les sons et les images… Partout dans les villes le bruit est là, incessant, véritable pollution à la fois visuelle et sonore, qui nous coupe de nous-mêmes. Cette pollution nous coupe de ce qui vibre dans le vivant, nous masque la grâce. Combien de femmes et d'hommes sont allés vers leur Soi en osant leur rêve et, pour cela, ont été de leur vivant humiliés, méprisés, trahis ? Pour la plupart, ils furent honorés à titre posthume. Sans aucun doute, la fausse note pour le commun est l'être qui se réalise en osant. De fait, il perturbe. Au Maroc, le dicton populaire dit: «Tout ce qui dépasse dans un groupe, tranche-le!» On ne peut être plus clair. Alors, surtout, que rien ne dépasse dans sa vie. Trop peur de la trancheuse. Se permettre, s'abandonner, s'accorder n'est pas permis, les tours de contrôle sont partout alentour et en soi-même. Surtout en soi-même.

Et pourtant… nous avons tous une Alice au fond de nous qui rêve, a envie, imagine, espère le pays des merveilles où tout n'est qu'abondance, richesse, opulence, où tout est festin, festif, festival. Ce monde, il est là tout près, c'est le nôtre. Mais dans ce royaume à la musique extraordinaire, qu'y a-t-il en contrepoint? « Qu'on lui coupe la tête, qu'on lui coupe la tête. » Lewis Carroll, quand il fait dire à la Reine de cœur, dans *Alice au pays des merveilles*, «Qu'on lui coupe la tête», traduit ce triste état de fait: celle ou celui qui ose la liberté, ose le Soi, ne rentre pas dans le cadre. Son destin est tout tracé: elle ou il est décapité sans appel. Alors, comment aller vers le Soi dans ces conditions-là?

Face à cette terrible réalité, l'artiste a vraiment un rôle à jouer. Et pour cela il doit se poser plusieurs questions: que et qui veux-je servir lorsque je crée et reçois la grâce? L'art est-il un exutoire en lequel je déverse ma colère, mes rancœurs, mes fantasmes? Est-il un outil de séduction qui envoûte? Ou alors, par mon art, vais-je faire en sorte que Virginie, Michaël, Stéphane et Chloé découvrent leur trésor intérieur? L'art doit-il être au service de mon nombril ou de la révélation du Soi de chacun? Il y a, à cet égard, une responsabilité indéniable de l'artiste vis-à-vis de son public. Sous prétexte de liberté d'expression, beaucoup trop d'œuvres portent en elles énormément de violence, encombrent les espaces et les esprits, endorment les consciences. Beaucoup d'artistes sont des «brouilleurs de matière», des «amuseurs» et non des «éveilleurs», étalant leur vaste nombril jusqu'à l'indécence. Mais là encore, que pouvons-nous faire d'autre, si ce n'est accueillir? Tout cela, ce sont des fausses notes qui nous conduisent inexorablement vers la nécessité d'une future résolution harmonique que nous ne sommes pas encore en mesure d'appréhender. Par elles, l'humanité avance vers sa destinée. Cela dit, il y a pléthore d'artistes extraordinaires au service de la grâce, traversés et « traversant ». Ils ne cherchent ni gloire ni reconnaissance, leur conscience se place au-delà du résultat. Libérés de la tyrannie de l'exigence artistique, il n'y a ni satisfaction ni insatisfaction, ils sont simplement en quête de davantage de *reliance* avec le grand Tout. Comme toujours, le profond, le raffiné, le subtil, se révèlent par contraste.

À mon sens, la véritable fonction de l'artiste serait celle-là : transcender la réalité en invitant les autres à le faire aussi à leur façon. Il est clair qu'il n'y a rien de plus extraordinaire que de voir une personne mise en confiance nous révéler sa richesse intérieure. Il n'y a pas meilleure guérison pour la planète que la révélation du Soi. Cela libère la personne de ses doutes. Elle s'ouvre enfin à la grâce, à la poésie du monde, au subtil de la vie. Elle s'ouvre à l'amour, elle devient amour. Par l'art, il nous faut aborder l'être humain vraiment différemment, avec douceur et bienveillance, afin de faire émerger ce « nouveau » qui dort en lui. Tout le vrai et juste travail d'un bon artiste consiste à relier la personne à la grâce. Mais attention, il y a deux points importants à relever. Voici le premier : relier une personne à la grâce peut provoquer de l'orgueil chez l'artiste enseignant. Celui-ci peut se transformer en « sauveur » et tenter d'exercer une emprise sur celui qu'il essaie d'éveiller. Bien entendu, ce n'est pas conscient, mais c'est le piège dans lequel beaucoup tombent. L'ego, toujours l'ego ! En réalité, ce qui agit, ce ne sont pas les qualités pédagogiques de l'artiste, bien qu'elles soient indéniables, mais essentiellement la foi de la personne. *Ce qui opère dans toute transformation menant à la transcendance, c'est la foi en soi-même.* Quant au second point, il concerne le Soi enfin révélé, il est important de comprendre qu'il ne faut pas s'y attacher. Comme tout, nous sommes forme rejoignant le sans-forme. Nous ne sommes que de passage…

Cette dimension de la foi et le rapport à la grâce sont rarement abordés dans les écoles, lycées et universités. Bien que ces institutions offrent un cadre indispensable à la vie sociale, que les jeunes y apprennent à vivre avec les autres, s'y ouvrent à l'éducation et aux livres, on y trouve souvent un esprit malsain de compétition, une exigence oppressante quant aux résultats, un caractère élitiste induisant critiques et jugements parfois impitoyables. Combien d'étudiants finissent leurs cycles d'études, quand ils ne sont pas découragés avant, désabusés, blessés et parfois anéantis ? Combien sont excédés par le système comparaison/notation, par la façon dont ils sont considérés lorsqu'ils ne savent pas ou se trompent ? Lorsque l'élève a un zéro, ce zéro le met en situation de stress terrible. Un mépris inhérent s'établit vis-à-vis de lui. Il se sent exclu du groupe, exclu du monde. La faute est là encore ; ce maudit zéro pèse de tout son poids sur lui et il doit le traîner jusqu'à sa maison, où l'attendent ses parents à qui il devra inévitablement rendre des comptes. Où le mettre, ce zéro ? Comment le cacher ? Le gamin, sur le chemin qui le ramène chez lui, a beau s'amuser avec les feuilles mortes et jeter des marrons sur les troncs d'arbres, qu'on le veuille ou non, il est envahi par l'angoisse. Cela dit, critiques et jugements peuvent être positifs, à la condition qu'ils soient porteurs de perspectives et de confiance, et exprimés avec une profonde bienveillance. Il s'avère hélas que ce ne soit pas toujours le cas. En réalité, l'objectif inavoué de la plupart des systèmes éducatifs et institutions scolaires n'est pas de permettre à la personne de s'épanouir, mais de la mettre dans un moule. Si elle refuse, c'est elle qui sera brisée, non le moule.

Cela me rappelle cette rencontre avec un jeune de 20 ans, élève dans un lycée professionnel de Roubaix. Il est rentré bruyamment avant les autres dans la salle de classe en poussant avec ses pieds tables et chaises, puis s'est assis en prenant trois places, étalant jambes et bras… Les autres arrivèrent derrière, certains en discutant, d'autres emmurés en eux-mêmes avec des regards de chiens battus… Dans tous les cas, pas un sourire, et s'il y a regard, il est furtif. Le prof vient me voir et me dit à l'oreille : « Ne vous étonnez pas si certains d'entre eux quittent la classe dans dix minutes, c'est toujours comme ça ici. » Au bout de ces fameuses dix minutes, ils sont tous scotchés par l'histoire du piano à travers jungles d'Afrique, brousses malgaches et bidonvilles d'Asie. Puis je me mets à leur parler de la grâce pour tous, de leur grandeur, de leur richesse… À un moment donné, je m'adresse au jeune qui était agité du début du cours : « Tu veux bien venir faire un quatre mains avec moi ?

— Ça va pas, m'sieur ? Z'êtes complètement ouf ! »

Le gars était affolé.

« Pourquoi ?

— J'sais pas jouer de ce truc-là, moi.

— Mais si, viens essayer. Je suis sûr que tu vas y arriver… »

Rires des autres élèves. Un des garçons le raille : « Allez, Quentin, t'as la trouille ou quoi ?

— Hé ! fait-il en le poussant rudement, vas-y toi ! »

Vexé, Quentin se lève et vient me rejoindre. Cette fois-ci, il ne fait plus le gros dur. Sur son visage, je vois le petit garçon qui a à la fois très envie et très peur… « On y va. Tu joues doucement avec cœur une note et je te réponds, OK ?

— OK… »

Il joue une note avec plein de délicatesse. « C'est exactement ça », lui dis-je. Il me regarde avec étonnement et, le plus sérieusement du monde, me demande : « J'ai bon ? »

La musique fut géniale, riche et pleine d'originalité. Je suis tout heureux de cette complicité qui s'est établie entre nous. Le gars n'en revient pas. La classe non plus, d'ailleurs. Quand les applaudissements s'arrêtent, je m'adresse à lui : « Je savais bien que t'étais un mec super. Dis, Quentin, c'est quoi ton rêve ?

— J'sais pas, m'sieur. J'ai pas de rêve.

— Comment ça ? Un beau gars comme toi…

— Tout le monde me dit que j'suis nul, m'sieur.

— Qui te dit ça ?

— Tout le monde, m'sieur, les profs, mes parents, les gens...

— C'est parce que vous ne vous comprenez pas, c'est tout. Ça arrive souvent. »

Timidement, il me dit alors : « J'aimerais être pompier... mais c'est trop difficile.

— Moi, je vois un garçon avec une belle énergie. T'es quand même pas bon juste à pousser des tables et des chaises, non ? Si tu savais tous les possibles qu'il y a en toi... Allez, retourne à ta place. »

Le gars est bouleversé. Grand silence dans la classe. Quand le cours se termine, il passe devant moi, s'arrête, me serre la main et me dit : « Merci, m'sieur. Respect... » Ses yeux sont rouges. Il est au bord des larmes.

Oui, il y a tellement de magnifiques possibles en nous. C'est avant tout cela qu'il faut enseigner à nos enfants... Déjà au XVe siècle, Marsile Ficin, poète, philosophe et astrologue italien, nous écrit : « *Tout est possible. Rien ne doit être rejeté. Rien n'est incroyable. Rien n'est impossible. Les possibilités que nous refusons ne sont que les possibilités que nous ignorons.* » Comme Quentin, presque tous les ados manquent de confiance en eux et ne mesurent pas encore l'infini des possibles qu'ils ont à leur portée.

Cette autre histoire le démontre : invité pour une semaine dans le lycée Anna Judic de Semur-en-Auxois, je reçois les sections de bac professionnel, TS, TL, 2de, 1re gestion, comptabilité, BEP, BTS, etc. À chaque heure, je dis aux élèves des classes qui se succèdent : « Vous avez de la valeur, vous êtes tous considérables, vous êtes extraordinaires au-delà de tout ce que l'on peut imaginer. » En même temps que je prononce ces mots, j'observe leur visage. La plupart font une moue des plus explicites : perplexe, dubitative, surprise, étonnée. Il est clair que toute cette jeunesse doute complètement d'elle-même. Quand on ne s'estime pas, on souffre. Lorsque je leur dis : « Vous êtes là pour changer le monde. Vous n'êtes pas là pour gagner de l'argent au détriment de celui-ci, vous êtes là pour réaliser le beau. Je vois que certains d'entre vous portent de la colère. C'est normal, dans ce système agressif. Mais si vous voulez vous battre, battez-vous au nom de l'amour et offrez vos victoires au monde. » Certains réagissent ainsi : « Moi, je n'y crois pas », d'autres comme ceci : « On ne peut rien faire », « C'est de l'utopie, m'sieur. »

Comment avons-nous fait pour éteindre ainsi le feu de la jeunesse ? Comment en sommes-nous arrivés à tant de désespérance et de mal-être ? Quand je dis à tous ces jeunes qu'en ce qui me concerne, à 25 ans je voulais chasser la bêtise, la souffrance et la mort en partant jouer avec mon piano dans les pays en guerre, la plupart me regardent comme si j'étais fou ou anormal. Mais quand je leur explique qu'être jeune c'est justement penser l'impensable, c'est réaliser ce que les générations précédentes n'ont pas osé faire, c'est porter dans son cœur la croyance en une humanité enfin en paix et œuvrer pour cela, que le sens même de la vie est de se mettre au service de l'amour et non de la peur et de la résignation, ils entendent et comprennent. Chaque fois que je leur pose cette question : « Si un homme n'est pas porteur de rêve, d'utopie et d'espérance pour le monde, à quoi ça sert d'être là ? », la plupart d'entre eux me répondent : « À rien, m'sieur. » Et à chaque session, quand la sonnerie retentit pour annoncer la fin du cours, pas un élève ne bouge. Il me faut presque insister pour qu'ils s'en aillent. Les ados ressortent bouleversés, la plupart me remercient en me serrant fort la main, en me faisant un signe discret du regard. Chaque fois que je fais un lycée, les jours suivants, je reçois inévitablement des retours sur ma messagerie Internet et sur Facebook :

« Bonjour, monsieur Vella. Avant j'étais un peu comme tout le monde, je ne savais pas ce que cela voulait dire "humanité", non par ignorance mais parce que jamais on ne me l'avait montré, car beaucoup de gens en ont eux-mêmes oublié le sens. Et puis, un jour, je vous ai rencontré avec votre grand sourire et votre chaleur humaine qui pourraient réchauffer le cœur du monde entier, et non seulement j'ai compris mais en plus, j'ai appris à vivre. Que dire quand les mots vous manquent et que même le plus fort serait un euphémisme ? À défaut d'avoir la réponse, laissez-moi au moins vous dire : merci. Au plaisir à nouveau, un jour je l'espère sur les chemins nomades… » Élodie L.

« Bonjour, Marc Vella ! J'ai 15 ans et je m'appelle Nina. Je viens du lycée Anna Judic où vous êtes passé cette semaine. Je voulais vous dire que ce que vous avez dit m'a vraiment touchée et que vous êtes superbe. Je ne vous connaissais pas avant et maintenant, je sais que j'aurais raté quelque chose. » Nina P.

« Un grand merci pour m'avoir ouvert les yeux sur la vie grâce à votre message d'amour. Grâce à cette prise de conscience, vous m'avez donné envie d'aller aider les autres, d'aller ailleurs donner de l'espoir ! Vous m'avez fait réfléchir et grâce à cela je ne vois plus la vie de la même façon. Vous nous avez montré que la vie en valait la peine. Jamais je ne vous remercierai assez pour tout ça ! » Sandrine B.

« Devant tant de beauté et d'humanité comment rester insensible ? Merci pour ce que vous avez dit, cela me manque déjà. Comme quoi il n'y a pas que des pourris sur terre ! » Gaëtan R.

« Merci, merci beaucoup d'être venu. Vous nous avez apporté bien plus qu'un simple message. Bonne continuation. » Moïna B.

« La rencontre que j'ai eue avec vous a été un choc ! Une révélation… J'ai compris ce qui n'avait pas encore germé en moi. Vous n'imaginez même pas à quel point ça me bouleverse… La tapisserie a été arrachée pour faire place à une nouvelle déco en moi ! Merci pour moi et pour tous les autres que vous avez réveillés et que vous réveillerez… Le monde peut devenir beau. » Janina P.

« Vous ne vous souvenez certainement pas de moi, c'est bien normal avec toutes les têtes que vous devez voir à longueur d'année… Votre passage à l'EIC m'a fait réaliser que jusqu'à votre intervention, je vivais reclus en moi-même, dans ma bulle en quelque sorte. Depuis, j'essaie de plus m'ouvrir, de partager des moments agréables avec des personnes que je ne connais pas vraiment mais *qui font partie de mon entourage tout de même. J'ai réalisé aussi que c'est grâce à des hommes comme vous que les choses peuvent changer, un homme qui sait diffuser ses idées tout en respectant celles des autres. Merci beaucoup pour votre intervention et j'espère que vous vivrez encore de nombreux voyages ! Bonne continuation. »* Xavier O.

« Ça fait aujourd'hui plus d'une semaine que l'on s'est rencontrés au LICP mais je tenais quand même à vous remercier pour ce message que vous nous avez apporté, ça nous a vraiment fait réfléchir ! J'espère qu'un jour, je "distribuerai" autant de bonheur que vous le faites ! Bonne continuation à vous et votre famille et encore mille fois merci ! » Fanny M.

C'est tellement touchant de recevoir des courriels comme ceux-là. Comme quoi il ne faut pas grand-chose pour rallumer dans ces cœurs fragiles la flamme de l'espérance ancrée dans l'instant présent, qui donne envie d'œuvrer pour que tout change et s'améliore. Mesurons ainsi le gâchis quand, dans les écoles, lycées et universités, à cause d'un enseignement souvent rigide et étroit et par des formatages de tous ordres, les élèves, au lieu d'être porteurs de renouveau, soit sont complètement vidés de toute substance, soit deviennent des « clones » soumis aux mêmes paradigmes, formés par les mêmes croyances, préjugés, peurs et limites. Le formatage est l'outil universel qui doit faire d'une personne un « bon » élève, un « bon » citoyen, un « bon » croyant. Le formatage n'est pas la formation. Le premier est dur, pragmatique, économique, la seconde demande accompagnement bienveillant et écoute. Dans le cas du formatage, l'individu répète, répète, répète, il ne développe pas sa créativité, il n'est que perroquet. Celui dont on néglige la particularité ne peut éprouver dans son cœur que du désarroi et de la colère. Mesurons la richesse que nous avons aujourd'hui avec sept milliards d'humains tous différents et soyons conscients de l'immense perte de ces mondes intérieurs spécifiques et de fait précieux, labourés par les multiples bulldozers socio-éducatifs.

Notre ministère de l'Éducation veut des résultats. S'il pouvait réaliser à quel point l'exigence institutionnelle actuelle est improductive ! Il faut bien constater que les programmes scolaires sont bien souvent encombrés de sujets inutiles. Des étudiants ont exprimé avec lucidité cette réalité à travers ces mots écrits sur les murs d'une université : « Vous nous étouffez d'informations, mais ne nous donnez pas de connaissances et de profondeur. » Oui, on oublie d'enseigner à nos jeunes l'essentiel : qui est la personne ? Qui suis-je ? Qui es-tu, toi qui viens apprendre ? La première chose que nous devons savoir, c'est que nous sommes magnifiques ; même avec nos failles, nos fêlures, nous restons extraordinaires... C'est ça que nos jeunes ont besoin d'entendre. Et il ne s'agit pas de chercher un quelconque pouvoir à travers la révélation de cette magnificence, mais juste de s'ouvrir à cette réalité pour l'offrir au monde, pour devenir partout un porteur non pas de culpabilité, un porteur de mort, mais un porteur de joie, un porteur d'éveil, un porteur de vie... C'est ça qui est important. Le premier rôle d'une école, d'un lycée, d'une université est de donner confiance à la personne en lui montrant qu'elle est avant tout porteuse de grâce. Le premier travail d'un enseignant n'est pas d'apprendre à l'enfant à être un élève, mais de le relier à sa part créatrice. Pour cela, il nous faut dès à présent prendre en compte la particularité de chacun. Il est essentiel d'avoir à l'esprit que chaque cerveau est semblable à une terre inconnue avec sa végétation propre, ses paysages particuliers, son écosystème spécifique. Il nous faut mesurer à quel point chaque être est absolument unique. Ce que nous sommes, c'est pour une fois, nous ne nous répéterons pas dans toute l'histoire de l'univers. Cela nous rend précieux et rares... Quand on prend conscience de cela, on réalise que l'autre est considérablement, merveilleusement fascinant. Cette façon de voir les choses conduit fatalement au respect, à l'écoute, à l'estime... Cela développe l'amour entre nous... Aujourd'hui, beaucoup d'instituteurs et de professeurs sont conscients de cela et agissent dans ce sens. Dans le secret de leur être, ils espèrent construire une autre relation avec leurs élèves, basée plus sur le cœur que sur le mental et l'intellect, avec un programme adapté à cette tout autre dimension. Ce programme se devrait de transmettre ce que l'humanité a secrété de plus sublime, ses pensées les plus profondes, ses œuvres les plus belles, sa conscience la plus subtile. « *Il n'y a rien d'assez beau et d'assez grand pour nos enfants* », nous dit Christiane Singer. Pourquoi cette profondeur n'est-elle pas assez répandue ? Christiane Singer écrit encore : « *Il nous faut persévérer à chercher davantage la saveur que le savoir, le balbutiement que la rhétorique satisfaite.* » Or, dans les écoles de musique, pendant des décennies, le solfège et la théorie (le savoir) ont été enseignés avant la pratique de l'instrument (la saveur). On sait aujourd'hui à quel point cette méthode fut un désastre.

Oui, nous n'avons qu'une seule chose à faire : à travers les grandes créations et ouvrages de ce monde, apprendre aux jeunes à être des livreurs de grâce, rien que cela. L'être humain se doit d'être un porteur d'amour. C'est son seul et unique devoir. Nous avons tous appris à l'école les trois états de la matière : l'état solide, l'état gazeux et l'état liquide. Il y en a un quatrième, l'état amoureux. Qu'attendons-nous pour l'enseigner ? Mettre l'amour partout est un projet fondamental, exponentiel, permettant l'émergence dans la joie de ce que nous sommes. Il est la clé du grand éveil, la voie menant à la *haute conscience*… En se comportant de cette façon, il y a fatalement moins besoin d'autorité et de lois, car l'amour porte en lui ses valeurs. De facto, il met du sens à ce que nous sommes et faisons. De facto, par la considération et le respect qu'il induit, il responsabilise la personne. En enseignant de cette façon, il n'y a pas besoin de donner le goût de l'effort puisqu'il n'y a que du plaisir. Quant au mérite, il va de soi…

Cela dit, des lycées pratiquant cette pédagogie relationnelle existent déjà. J'ai eu la chance d'intervenir dans plusieurs établissements remarquables, notamment en Suisse, à Zurich et Frauenfeld, au Québec, à Victoriaville à l'école des Eaux vives, en France, au lycée et collège privé d'Enghien-les-Bains, au collège privé Saint-Joseph-d'Argenteuil, au collège public Jules Ravet de Saujon, et près d'Alès, dans une école Steiner. Dans tous ces établissements, j'ai été impressionné par l'engagement des professeurs. À Saujon, pendant toute l'heure de la pause déjeuner, ceux-ci ne font que parler de leurs élèves et de leurs problématiques existentielles. Même si certains de ces préados à qui ils enseignent «pourrissent» leurs cours, il n'y a que de la compassion et de la tendresse dans leurs propos. Leur préoccupation première, c'est le bien-être de leurs jeunes. Si cela peut être aidant, certains enseignants n'hésitent pas à tisser des liens avec les familles. En plus de leur travail de prof, ils font du travail social. Cet investissement me bouleverse au plus haut point. Dans tous ces établissements, cantine bio, présence des arts en général et de la musique en particulier, salles bien équipées en instruments, espaces mis à la disposition des élèves, ateliers réguliers avec des artistes de toutes les disciplines… L'enseignement se donne dans des classes ne dépassant pas vingt-cinq individus. En ce qui concerne le lycée de Frauenfeld, les élèves sont installés en cercle, pas de table au milieu, chacun dispose d'un bloc-notes posé sur une tablette et écrit si nécessaire. La profondeur est là, dans les échanges directs et spontanés qui se font entre le professeur et tous les élèves. Cela éveille l'esprit de répartie, stimule les intelligences… Dans ces établissements, aucune recherche de résultat, rien à prouver, pas de comptes à rendre, les élèves sont considérés comme des personnes à part entière. L'état d'esprit du proviseur colore fondamentalement toute l'institution qu'il dirige. S'il est dans la confiance et une bienveillance naturelles, il transmet cette énergie à l'ensemble du corps enseignant. Si celui-ci est dans les jeux de pouvoir et la peur, inévitablement, cela se diffuse dans tout l'établissement.

J'ai eu l'occasion de donner une semaine de concerts-conférences dans un lycée de la banlieue sud de Paris, ayant pour proviseur une femme en grande souffrance psychologique. Les professeurs étaient effrayés, tyrannisés, divisés, épuisés. Ces conditions de travail difficiles, générant stress et tensions, ne peuvent que perturber davantage des ados venant d'une banlieue dite sensible. Un tel cadre ne peut qu'aggraver les problèmes et engendrer des conflits lourds. Cet établissement, je ne le citerai pas, les médias s'en sont chargés un an plus tard, quand un jeune y a été tué. La solution préconisée fut de renforcer le contrôle et la répression. Absurdité totale, non-sens absolu. « *Seule l'intelligence de l'amour et de la compassion peut résoudre tous les problèmes de la vie* », a écrit Krishnamurti. Ce qui est essentiel pour nos enfants, c'est qu'on leur parle d'égal à égal, dans une profonde bienveillance. Un bon enseignement ne consiste pas à plier les individus aux règles, à leur transmettre la force de la résignation et de la frustration, mais à les éveiller à la conscience du cœur. La conscience du cœur, c'est fondamental.

Tout cela me rappelle cette autre belle anecdote : pendant une semaine, je rencontre classe par classe les élèves d'un collège au nord de Paris. Le vendredi est le jour du concert clôturant la semaine de travail autour du thème « Oser ses rêves ». Tous les jeunes du collège sont réunis avec professeurs, parents et personnel de service dans la chapelle de l'établissement. À un moment donné, je pose cette question : « Qu'est-ce qui différencie les hommes ? » Un jeune de troisième d'origine maghrébine lève la main énergiquement : « La religion, m'sieur.

— Non... »

Un autre plus loin me fait signe...

« La langue ?

— Non plus. »

Un autre encore...

« Les frontières ?

— Non, non, non... »

Un jeune Noir sur la gauche.

« La couleur de peau ?

— Non plus...

— L'argent qui fait qu'il y a des riches et des pauvres ? lance timidement une jeune fille.

— Non, ce n'est pas ça non plus… »

Grand silence dans la salle. Celui-ci est d'autant plus impressionnant que nous avons là quatre cents gamins pour la plupart joueurs, bavards, turbulents… Chacun cherche la réponse en se regardant, s'observe, surpris de ne pas trouver, étonné de mes « non » successifs… Après de longues secondes, une minute peut-être, un doigt se lève. Je le reconnais bien, il s'agit de Yacine, un petit garçon tout mignon. Je me rappelle quand il est venu dans mon cours deux jours avant. J'avais demandé : « Vous êtes en quelle classe ? » C'est lui qui m'avait répondu : « Sixième rose, m'sieur.

— Ah bon ? Et ça veut dire quoi, la couleur ? avais-je demandé, interloqué.

— C'est la sixième des faibles, m'sieur. Nous, on est les moins bons du collège. »

Retour à la chapelle… « Alors Yacine, qu'est-ce qui nous diffé-rencie ?

— Le cœur, m'sieur.

— Ouiiii, c'est ça ! C'est la qualité de notre cœur qui fait la différence entre nous. »

Là où tous les autres « échouaient », le petit « sixième rose », de la classe des « moins bons », avait trouvé. Pour moi, ç'a été comme une révélation. Ces gamins de sixième rose, ils ne sont pas moins bons que les autres. S'ils ne comprennent pas tout de suite, c'est parce qu'on s'adresse uniquement à leur cerveau. Je suis certain que les enfants de cette classe particulière ont cette qualité que les autres ont oubliée, celle d'être encore reliés au cœur. La plu-part des autres ont coupé ce lien sacré, ils sont dans le mental et l'intellect qui éveillent et nourrissent inévitablement l'ego, géné-rant rapports de force et conflits. Oui, c'est d'abord au cœur de la personne qu'il faut nous adresser, et non à sa tête. Il nous faut parler au cœur avec tout notre cœur.

Nous devons absolument cesser de mettre de la pression sur nos enfants. D'un côté ils entendent : « Travaille pour réussir... », et de l'autre : « Pas de boulot, chômage, crise sur le marché du travail... » Cette exigence de la réussite induit à la fois l'angoisse de l'échec et la nécessité d'une performance agressive. Du coup le copain de classe peut devenir un rival potentiel. La seule alternative est d'être le plus fort. Dans ces conditions-là, réussir se fait presque toujours au détriment de l'autre. Le système éducatif se comporte avec nos enfants comme s'il s'agissait de poulets d'élevage. On compartimente, on spécialise. Il faut que les élèves soient aptes et « consommables » pour le marché du travail, et ce, à moindre coût. Au nom d'une laïcité pragmatique, l'enseignement doit se faire sans états d'âme, sans éveil de conscience, sans profondeur de cœur. Formatage, efficacité, performance sont les mots d'ordre. Lorsque les élèves arrivent sur le marché du travail, inévitablement leurs façons d'être et d'agir se retrouvent dans les entreprises, et là, nous nous trouvons en face de sérieux problèmes.

Certains grands patrons prennent conscience de cette réalité. Ainsi l'exprime Lindsay Owen-Jones, ancien P.D.G. de L'Oréal : « *Je regrette que la capacité de réduire les frais, de bien gérer, d'être des financiers avisés ou des techniciens complets fasse en réalité qu'en France, ma génération soit perçue comme celle des stars de la performance, mais non comme celle des managers de cœur. Et cela, avec un retour de flamme inévitable à une date ultérieure. Si nous ne reconnaissons pas l'importance de l'affectif dans le rapport entre l'homme et l'entreprise, nous aboutirons même à une crise d'efficacité. Je suis certain que ces qualités affectives sont très modernes...* » Ces fausses notes nous amènent à réaliser que ce qu'il nous faut privilégier avant tout, c'est ce qui fait vibrer, ce qui a un sens. Il faut un cadre au sein des collèges, lycées, universités et des entreprises, mais au lieu de nous montrer pragmatiques et rigides, avec une exigence souvent inflexible et brutale, donnons-lui la forme d'un cœur.

Dans tous les lycées où je suis allé, à chaque classe de seconde et de terminale j'ai posé cette même question : « Savez-vous ce

que vous voulez faire plus tard?» La réponse est quasiment unanime: «Non.

— Savez-vous pourquoi vous avez choisi cette section?

— Il faut bien aller quelque part, m'sieur.»

Dans leurs réponses, je sens un malaise pesant. Même si
ces êtres sont «casés», je les sens perdus. Au lycée, il est bien
de proposer aux ados d'aller vers telle ou telle voie en fonction
de la sensibilité de chacun, mais il me semble important de
dire aussi que ceux-ci peuvent changer de direction à n'importe quel moment, que rien n'est jamais définitif. La seule
voie qui vaille d'être suivie est celle que notre cœur nous indique. Tout le système éducatif ne devrait se préoccuper que de
cette évidence: éveiller le cœur de nos enfants, être à l'écoute
de ce qui émerge enfin et se mettre au service de ce qui les fait
vibrer... À mon sens, tout le respect envers l'étudiant commence là.

Du coup, la réussite se situe sur un autre plan. Elle réside
dans l'épanouissement des individus, dans l'engagement de
chacun pour que ce monde se transforme en un monde plus
aimant... La réussite vient de la conscience de ce que nous
sommes et de ce lien intime que nous avons tous avec la grâce
quand nous savons la libérer en nous... La réussite est dans
l'émulation, dans le partage, et non dans la confrontation et la
compétition. Pour conclure sur ce vaste sujet essentiel qu'est
l'éducation, il nous faut sortir de l'idée que tout se joue avec les
maths et la physique-chimie... Des milliers de jeunes ont de l'or
dans les doigts, sont talentueux avec le bois et le métal... Les
métiers manuels doivent retrouver toute la noblesse qu'ils
n'auraient jamais dû perdre. Il n'y a qu'à voir l'arrogance de
certains élèves de terminale qui, parce qu'ils sont en section
scientifique, se considèrent comme «les meilleurs», l'élite...
Cela doit disparaître des mentalités. Un ébéniste, un forgeron,
un maçon méritent respect et considération, tout autant qu'un
ingénieur qui sort de Polytechnique...

L'une des premières choses que je fais dans mon stage, c'est de demander aux personnes ce qu'elles en attendent. Si je leur enseigne l'improvisation au piano, le solfège et l'écriture, les intervalles, les lois de l'harmonie sans me poser de questions, je serai complètement à côté. Si mon enseignement est académique, je ne répondrai qu'en partie à leurs demandes. Or, il est très important d'exaucer. Voici ce que m'ont répondu seize personnes, lors d'un stage, à la question : Qu'est-ce que tu es venu chercher ici ? « L'ouverture », « La vie », « L'apprentissage avec un grand A », « L'authenticité », « Une réponse », « Un lâcher-prise », « La libération », « La joie », « Assumer l'ouverture », « La fantaisie », « Le mouvement », « L'harmonie », « La musique », « Le partage », « La vibration », « La paix ». Mazette, quelles demandes ! Je me sens en charge d'âmes qui cherchent quelque chose d'essentiel. Ce n'est certainement pas une débauche de formules et de techniques qui saura les satisfaire. En réalité, toutes ces personnes ne viennent chercher qu'une seule chose : l'amour. Et il faut leur en donner. S'il le faut, mille fois plutôt qu'une ! Le seul amour qui vaille est de gagner l'amour de soi. C'est en les ouvrant à cela que le miracle s'accomplit : la grâce les touche. C'est une véritable révélation, qui se vit pour chacun, et souvent dans les larmes. La plupart ont passé leur vie à être « gavées », on leur a rarement dit qu'elles étaient magnifiques, que ce qu'elles étaient et faisaient avait du sens… La révélation du Soi est absolument fondamentale car elle nous réconcilie avec nous-mêmes et les autres, elle nous éveille, nous donne envie d'aller plus loin… Elle nous ouvre. Chaque fois qu'une fleur humaine s'ouvre, c'est un cadeau pour l'humanité tout entière. Alors, imaginons le jour où toutes les fleurs humaines s'ouvriront en délivrant leur parfum unique… Quel jardin magnifique sera le monde !

Lorsque nous improvisons, nous sommes sur le fil entre la grâce que nous recevons et notre volonté propre. En effet, quand la grâce me traverse, en même temps mon émotion m'impose telle ou telle direction. Il arrive que mes doigts jouent ce que je n'imagine pas et d'autres fois ne jouent pas ce que j'imagine. *Tout l'art est d'accepter cet inattendu*. Chaque note est une opportunité, un cadeau infini qui doit me servir à me guider vers l'endroit où j'aimerais aller. La grâce est semblable aux vents et courants marins, sans cesse en mouvement, libres et imprévisibles, ma volonté fait office de barre de gouvernail. Je me laisse porter par les éléments mais je dirige mon navire. Il me faut être concis et précis dans mes gestes, car contre-courants, écueils et récifs ne sont jamais loin. Seule une hyper écoute dans un accueil infini de chaque son me permet de naviguer avec élégance. Sans ma volonté, le navire dériverait. Notre inspiration, nourrie par les émotions et le mystère et ordonnée par notre volonté, donne à la grâce tout son sens et sa consistance. La grâce devient tangible enfin... Elle prend substance à travers notre incarnation. C'est là son seul désir. Tout cela doit se vivre de manière ludique, dans la joie et l'humilité. Il faut bien intégrer cet adage : *L'adulte crée, l'enfant joue*. Quand l'adulte crée, il est sérieux, cherchant souvent une reconnaissance. Quand l'enfant joue, il ne cherche rien, il s'oublie lui-même, il oublie son moi, il se fait plaisir. Il est essentiel de retrouver cette innocence de l'enfant, de s'abandonner comme lui, entre grâce et imaginaire, libre... La création ne peut être qu'un jeu où l'on s'oublie. Là, elle prend toute sa noblesse et rejoint le sacré.

La grâce est un bijou et comme tout bijou digne de ce nom, il lui faut un écrin. *L'écrin de la grâce, c'est l'instant*. Et ces instants, nous les recevons tous, car ils nous sont donnés. Pour chacun de nous, en chaque instant, une grâce s'offre. Ne confondons pas ce bijou sacré avec les brillants des vitrines, la pacotille des galeries marchandes, les imitations clinquantes et bruyantes, les paillettes pour amuser et endormir les gens. Ces bijoux sont vides, ils ne produisent que frustrations, tristesse et solitude. Le piège est grossier mais tant s'y laissent prendre. La grâce est un tout autre bijou, elle vient peut-être du ciel ou d'ailleurs, peu importe... Le devoir de tout un chacun est de s'en faire le réceptacle pour humblement le livrer. Ce bijou-là est en abondance pour tous, autant pour Mozart que pour nous. Que cette bonne nouvelle nous inspire et nous mette au travail. Ainsi, le génie, ce n'est pas 10 % d'inspiration et 90 % de transpiration, ce n'est pas 10 % d'inspiration et 90 % de joie, le génie, c'est 100 % d'inspiration mêlée à 100 % de « J'ois » et de joie pure...

Quand vous êtes au bord du silence, sautez !

«La véritable musique est le silence et toutes les notes ne font qu'encadrer ce silence.»

MILES DAVIS

Quel est le berceau de la musique ? D'où viennent tous les sons ? Du silence. En lui, tous les sons unis, comme dans le blanc toutes les couleurs mélangées, dans l'instant toute l'éternité révélée, dans l'unicité immuable de l'*uni-vers* l'infinie diversité des formes, dans l'amour divin tous les désirs chantés. Pour un pragmatique, certaines de ces affirmations sont inintelligibles tellement elles restent abstraites et irrationnelles. Et pourtant, il n'y a pas plus rationnel que l'irrationnel. Mais les paradoxes ne peuvent être abordés que par l'intelligence du cœur... Nous l'avons vu plus haut, et je n'y reviendrai pas, la première chose que l'on devrait enseigner à nos enfants, c'est sans doute cela, l'intelligence du cœur et la dimension de l'irrationnel, qui seules peuvent nous conduire à la haute conscience. «*Apprends à déchiffrer ce qu'écrit le silence, à écouter par les yeux, c'est l'intelligence du cœur»*, nous dit Shakespeare. Plutôt qu'une approche intellectuelle, froide et mécanique du savoir en général et de la musique en particulier, on devrait prioritairement enseigner aux enfants le rapport au silence, leur apprendre à écouter la vibration d'une forêt, un coucher de soleil, l'éveil d'une étoile… Le peintre a besoin d'une toile vierge pour y mettre ses couleurs, le musicien a besoin de silence pour créer et vivre sa musique. La personne a besoin de silence pour rejoindre sa source profonde, là où demeure son imaginaire, où se trouve le lien secret qui la relie au grand mystère…

Dans notre société, il n'y a pas assez de silence. Curieusement il semblerait même qu'il y ait une volonté d'éradiquer celui-ci. Pourquoi ? Le silence ferait-il peur ? Aurait-il le pouvoir de nous donner quelque chose qui dérange ? Le silence est tellement essentiel qu'il faut nous poser cette question à son sujet : Pourquoi le silence est-il silencieux ? Dans combien de concerts, congrès et séminaires ai-je pu poser cette question. Le plus souvent les gens n'ont pas la réponse, parfois quelqu'un trouve, mais c'est rare et ce n'est jamais tout de suite. Je me rappelle, il y a quelques années, j'avais posé la question à de jeunes handicapés du centre médical Rey Leroux, près de Rennes. Comme ils ne trouvaient pas la solution, je leur livrai la réponse : «Le silence est silencieux parce qu'il écoute…» Cela appelle évidemment cette autre question que je leur soumis sans hésiter : «Mais il écoute quoi, à votre avis ? » En les regardant chercher, j'observais ce public particulier d'enfants et d'ados de 6 à 18 ans, la plupart en fauteuil roulant, déformés, obèses, boiteux, grimaçants. Et soudain, au bout de quelques minutes, la lumière vint d'un gamin d'à peine 10 ans, assis sur sa chaise médicale avec des attelles en métal à chaque articulation. En mâchant ses mots et en prononçant difficilement, il lança : «Le silence est silencieux parce qu'il écoute chanter l'aaaamouuur.» Comment avait-il pu trouver ? Personne n'avait su répondre avant lui. Il se mit à rire tout en prononçant ce dernier mot, entraînant les enfants dans un éclat de rire général. Tous ces êtres pétris de douleur se tordaient de joie en criant ou en chantant le mot amour. Cet instant fut bouleversant. Que savaient-ils de l'amour, tous ces gamins ? Je suis convaincu qu'ils savaient tout de Lui. Quoi qu'il en soit, chercher le silence dans sa vie et l'installer à l'intérieur de soi, c'est inévitablement écouter ce qu'il écoute. *Faire silence, c'est se relier à l'amour.* Et cela est l'essentiel même qui libère.

Cette expérience avec les enfants du centre médical Rey Leroux changea complètement mon regard sur le handicap. Ces personnes sont elles aussi reliées à ce mystère, elles le ressentent, le vivent. Leur intériorité vibre tout autant que la nôtre à cet invisible qui nous entoure de sa bienveillance. Pour moi, cela ne fait pas l'ombre d'un doute, la grâce les touche eux aussi… C'est très important d'en avoir conscience. Le génie de la vie les habite tous, et à leur façon, tous sont en mesure de nous le restituer. Il les habite même parfois de manière plus directe que nous. La levée des inhibitions, la spontanéité et le fait qu'ils n'ont rien à perdre, tout cela les amène à nous apprendre à voir, à sentir, à toucher d'une autre manière, directement liée au cœur, et que nous avons trop souvent perdue. D'ailleurs, leur handicap révèle le nôtre : en premier lieu, notre incapacité à aimer inconditionnellement. De toute façon, de par nos héritages et nos multiples blessures, nous sommes tous un peu handicapés de quelque chose : handicapés affectifs, du cœur, administratifs, sociaux… Face à tout handicap, il ne devrait y avoir qu'une seule attitude : l'accompagnement bienveillant.

Au piano, il est important d'essayer de jouer le plus possible au bord du silence… En réalité, chaque note que nous jouons nous invite à aller à la rencontre du silence. Avez-vous déjà vraiment entendu le silence ? Percevez-vous ce qu'il perçoit, privilège rare réservé à quelques élus initiés ? Certainement pas. Quand vous faites un son, constatez que celui-ci retourne très rapidement d'où il vient, vers le silence. Entre ce que l'on entend et ce que l'on n'entend pas, il y a une séparation invisible, une membrane extrêmement fine. La position de cette frontière est très variable. Elle est conditionnée par la spécificité auditive de chacun. À un certain moment, le son traverse la membrane invisible et ne nous est plus perceptible. En traversant la membrane il fait un petit trou. C'est à ce moment que vous pouvez mettre un œil devant le trou… et là, vous voyez le silence… mais faites vite, car la membrane se referme presque aussitôt ! Si vous approchez votre oreille, vous pouvez entendre battre son cœur. Cela n'est possible que si vous avez su installer en vous-même une grande paix. Il n'y a pas plus merveilleux instants que ces rencontres intimes avec celui qui a le pouvoir de tout résoudre : le silence. Écoutez ces sons, sentez-les naître du silence et retournez au silence jusqu'à ce que, peu à peu, vous ayez le sentiment que tout votre être devient cette membrane située entre silence et son.

Commencer à jouer de la musique de cette manière est fascinant, c'est déjà tout un voyage. Cela rejoint le yoga, la méditation ou toute autre pratique zen. On oublie son mental, on lâche ses peurs, soucis et tracas, on oublie les gens qui nous entourent, on arrive même à oublier le piano. Lorsque le grand vide est fait, qu'il ne reste plus que le son, rien que le son, alors il faut revenir à soi, se centrer, écouter chaque vibration et sentir comment on est uni avec le tout. C'est la meilleure manière de se laisser traverser par la grâce. La musique improvisée devient alors sublime, tout simplement parce que le silence est là… Par lui, tout prend son sens et devient beau. J'ai vu des personnes s'évanouir en pratiquant cette expérience. Je me souviens de cette femme abîmée par la vie qui me dit en reprenant ses esprits : « Je ne pouvais pas imaginer que de si belles choses puissent sortir de moi. » Je revois le visage de personnes émues jusqu'aux larmes, d'autres profondément bouleversées. Renouer avec le Soi, quelle rencontre ! Pour certains, c'est une première, la vie ne leur a pas donné l'occasion de toucher à cette réalité qui est la réalité des réalités. Il n'y a pas plus grande beauté que cela. Mais voilà, les gens en ont peur. Quelle est-elle, cette réalité ? Notre magnificence telle que Nelson Mandela l'a exprimée : « *Notre peur la plus profonde n'est pas que nous ne soyons pas à la hauteur, notre peur la plus profonde est que nous sommes tout-puissants au-delà de toute limite. C'est notre propre lumière et non notre obscurité qui nous effraie le plus. Nous nous posons la question : "Qui suis-je pour être brillant, radieux, talentueux et merveilleux ?" En fait, qui êtes-vous pour ne pas l'être ? Vous êtes un enfant de Dieu, vous restreindre, vivre petit, ne rend pas service au monde. L'illumination n'est pas de rétrécir pour éviter d'insécuriser les autres. Nous sommes nés pour rendre manifeste la gloire de Dieu qui est en nous. Elle ne se trouve pas seulement chez quelques élus : elle est en chacun de nous. Au fur et à mesure que nous laissons briller notre propre lumière, nous donnons inconsciemment aux autres la permission de faire de même. En nous libérant de notre propre peur, notre présence libère automatiquement les autres.* »

Qui peut nous libérer de nos propres peurs si ce n'est le silence ? Qui rend possible notre puissance au-delà de toutes limites si ce n'est encore le silence ? Si nous nous relions à lui, il donne sens au « Je suis » qui sommeille en chacun de nous... Sur le clavier de la vie, là encore, lorsque l'on se sent trahi, blessé, il est important d'essayer de ne pas s'emporter, de ne pas tomber dans le piège du réactif, de l'émotionnel qui emporte. Faisons silence, et peu à peu tout s'apaisera et reprendra sa place naturellement.

Pourtant, il y a des fois où le silence ne résout pas tout, où, curieusement, il peut être une fausse note cachant de lourds secrets de familles, portant des non-dits récurrents, masquant des blessures qui suintent et suppurent encore... Les mots sont alors nécessaires pour comprendre et guérir. Mais les paroles qui véhiculent amour et pardon sont toujours au bord du silence. Il existe aussi des silences qui font peur. Certains consument notre lumière tant il y a d'attentes qui se greffent dessus, d'autres nous entravent, nous étouffent, nous éviscèrent. D'autres encore nous emportent dans des abîmes sans fond... Il y a des silences qui alimentent notre désespoir jusqu'à nous rendre fous. Et pourtant, quand vous êtes au bord du silence, sautez! Que risquez-vous? Le vertige de vous-même? Votre magnificence vous offre le plus beau vertige qui soit. Vous perdre? Au contraire, c'est à ce moment-là que vous vous trouvez. Mourir? Quand vous mourez à vous-même, c'est là que tout commence. Lorsque l'ego lâche peurs et besoins, s'abandonne au pardon, ne cherche plus à prouver, se livre au Souffle, vous existez enfin. Alors le silence peut s'installer en vous, et tout se révèle. Ce silence n'a rien à voir avec celui qu'on obtient en éteignant chaîne hi-fi, poste de radio et télévision, en fermant portes et fenêtres pour ne plus entendre le vacarme de la rue. Il ne se trouve pas au milieu de l'océan, au cœur du désert, au plus profond de la toundra ou au centre de la banquise. Il s'agit du silence intérieur, inaltérable, part inviolable de votre être. Dans ce sanctuaire des sanctuaires, le Soi. Lorsque vous le contactez, il s'ouvre sur votre propre infini. Celui-ci devient béance sur l'univers et réceptacle pour recevoir l'inimaginable, l'impensable, l'éternel merveilleux. Dans ces moments-là, vous êtes semblable à Bach ou à Chopin en pleine création. Inondé de grâce, vous pouvez jouer et écrire au petit matin à la lueur d'un bâillement de Dieu. Inévitablement, l'ineffable s'offre, plus besoin de prier car vous êtes prière. Dans ces moments-là, le silence vous relie à votre éternel devenir.

Chapitre 3

Mental et fausses notes

Dans beaucoup de courants spirituels, le mental est considéré comme une illusion, et l'ego comme n'ayant aucune réalité tangible. Nous ne sommes pas ce corps et ce mental, nous ne sommes pas ce que nous pensons être, nous sommes plus. Nous sommes de nature divine. Et pourtant... en quoi mental et ego seraient-ils incompatibles avec notre nature éternelle ? Qu'on le veuille ou non, même s'ils ne sont qu'illusoires parce que temporaires, ils sont bel et bien là et il nous faut apprendre à les accueillir.

Notre mental n'aime pas les fausses notes. Dès que nous sommes pris en défaut, il justifie toujours nos failles et insuffisances. Le mental se doit de rassurer l'ego. Il donne ses raisons qui nous donnent raison. Il se veut le gardien de notre petit moi : l'ego. Un des moyens qu'a le mental de rassurer l'ego est de mettre en avant les fausses notes des autres. Écoutons ce que dit à ce sujet Abraham Cohen Solal, fondateur de Clowns Z'hôpitaux, dans son livre, *Nez libre !* : «*Je suis convaincu que je suis nul, moche, que l'autre est de toute façon mieux que moi... D'où vient ce murmure* médisant ? *Du GTI, le Grand Tribunal Intérieur. Il siège au recoin d'un labyrinthe escarpé : le mental. En fait, nous avons pris pour vérités ce que les autres ont pu dire et penser de nous. À force d'humiliations, de mésestimes, d'insultes et d'injustices, notre cœur s'est fermé. La seule issue pour se grandir est de rabaisser l'autre. L'orgueil est l'expression de cette blessure profonde...*»

Il y a une autre conséquence à cette blessure profonde : la personne, à force d'être rabaissée, ne nourrit plus aucun espoir. Elle n'a même pas ou plus le désir de se grandir au détriment d'autrui, elle est totalement anéantie, écrasée. Elle devient une sorte de zombie subissant sa vie, son travail, ses amours, s'il y en a... Convaincue qu'elle n'a droit à rien, elle ne s'autorise plus rien, pire, elle refuse tout ce qui vient de l'extérieur, de peur de décevoir et de se décevoir. Son mental la rend autiste à elle-même et à la vie, il la ferme à toute forme de joie. Des millions de personnes sont ainsi. Qui les voit ? Elles passent à côté de nous, nous sourient, mais dedans c'est tout cassé. En nous montrant les douleurs du monde, la télévision nous masque la terrible réalité de ces millions de personnes qui ne croient plus en elles-mêmes, ne se supportent pas, ne s'aiment plus. L'incapacité, voire le refus, de s'accepter est le point de départ de toutes les grandes souffrances sur terre. Les guerres sont le reflet de nos guerres intérieures. Le non-amour de soi conduit au non-amour des autres, au non-amour du monde.

Dans le même sens, avec d'autres mots, Carl Jung nous dit : «*L'extérieur que nous voyons est la part d'ombre qui nous habite.*» Pour tenir debout, ces personnes s'enferment dans des schémas et mécanismes souvent fragiles et incertains. Peu importe, leur ego est en sécurité derrière des remparts de sophismes.

Tout cela me fait penser au cas d'une femme d'une cinquantaine d'années, qui, à lui seul, résume assez bien tout ce qui vient de se dire. L'histoire se déroule lors d'un séminaire d'improvisation. Tout le monde était passé au piano sauf elle. Je pouvais lire dans ses yeux une peur terrible. «C'est à ton tour», lui dis-je. Elle restait immobile sur sa chaise, comme soudée, paralysée. «Allez, tu y vas?

— Je suis trop nulle par rapport aux autres. Je ne jouerai pas.

— Qui t'a dit ça?

— Déjà ma mère, pour commencer, et puis je viens d'entendre les autres, c'est beau ce qu'ils font. Je préfère ne pas me rendre ridicule.

— Bon écoute, on est tous avec toi, tu ne risques absolument rien. Essaye de lâcher le mental. Tu n'as rien à prouver, il n'y a pas de résultat à chercher car tu es le résultat. Tu te sens nulle? Le nul est le contraire de l'Un. Médite cela. Allez, laisse-toi pénétrer par la grâce. N'imite rien ni personne car imiter, c'est te limiter. OK? Vas-y à ton rythme.»

Elle me lança un OK résigné, se leva et s'installa devant le clavier. Pendant un instant elle sembla perdue, puis elle se mit à jouer. Elle attaquait et écrasait les touches du piano comme s'il s'agissait d'insectes nuisibles qu'il lui fallait détruire. Il y avait beaucoup de violence dans ses gestes. Ses sons étaient secs, agressifs et cassants. Au bout d'une minute, je l'arrêtai et lui demandai: «Elles ne t'ont rien fait, ces touches. Pourquoi joues-tu comme ça?» Elle me regarda tout étonnée: «Comment ça?

— Tu les frappes, ces notes, comme si elles t'avaient fait quelque chose.

— Mais les sons, ils me font mal.

— Mais quand tu joues comme ça, tu ne peux que produire des sons qui te font mal. Et si tu les caressais, ces touches? Si tu leur donnais de l'amour? Tu verras, je suis sûr que les sons ne t'agresseront plus. Et puis, permets-leur d'entrer en toi, accueille-les.»

Sa musique fut complètement différente, du beau commença à sortir. Je la vis peu à peu s'abandonner jusqu'à oublier tout ce qu'il y avait autour d'elle. Elle qui avait les traits tirés, je vis son visage se transformer, s'éclairer d'un sourire doux et paisible. La grâce avait enfin investi la place. Elle joua pendant cinq bonnes minutes. Quand elle posa la dernière note, elle poussa un profond soupir. «Comme c'est génial.

— Ça n'a rien à voir avec le coup d'avant, lui dis-je, tout content.

— Tu sais, je suis malentendante. C'est la première fois de ma vie que j'entends de la musique. »

Et elle fondit en larmes.

Un peu plus tard, elle nous confia que petite elle avait toujours rêvé de jouer du piano, mais que sa mère n'avait pas voulu. D'ailleurs, toute sa vie, celle-ci n'avait fait que la rejeter. Ce jour-là, elle nous avoua qu'elle ne voulait pas jouer par peur que le groupe en fasse autant. Par ailleurs, la plupart du temps, dans son quotidien, elle ne recevait des autres que reproches et critiques. De ce fait, elle se sentait moins que tout le monde ici. Avec l'âge, il s'avérait qu'elle perdait l'audition. «J'ai choisi de devenir sourde pour ne plus avoir à entendre tout ça, nous dit-elle.

— Je comprends mieux pourquoi tu jouais du piano comme ça tout à l'heure. Tu te vengeais des sons extérieurs en les écrasant.

— Sans doute, mais je ne m'en rendais pas compte.

— Ce qui est important maintenant, c'est de mettre de l'amour sur tout ça. Tu t'es autorisée à recevoir la musique de la vie. Et comme tu as pu le constater, elle peut même te faire du bien. Retiens ça. Ouvre-toi avec douceur à son chant, tu as droit à la joie et à l'amour. »

Elle se mit à pleurer de plus belle. Le matin suivant, elle joua plusieurs fois avec plaisir, allant spontanément au clavier, sans peur, faisant des quatre mains, riant de ses fausses notes, les trouvant belles et porteuses de possibles qu'elle n'avait jamais osé imaginer jusque-là. Le lendemain, elle repartit métamorphosée de ce séminaire.

Combien de fois ai-je entendu ce genre de phrase : «Je suis nul, les autres sont mieux que moi, je n'irai pas jouer» ? Et combien de fois ai-je vu ces personnes, quelques heures plus tard, réaliser des musiques incroyablement belles, dignes d'être gravées sur un CD ? Mais la plupart des gens ne croient pas en leur grandeur et à la grâce qui leur est destinée. Leur mental résiste, fait barrière, il ne veut pas lâcher ce qu'il croit, défend et protège. Et tant que l'on résiste, on nourrit le combat, on reste dans la lutte.

Les gens, et plus précisément leur ego, cautionnent leur activité mentale, finissant par s'identifier totalement à cette réalité incomplète de leur être, faite le plus souvent de limites, de peurs, de projections et de culpabilité. Ainsi, face à la vie, la plupart du temps, au lieu d'oser la vastitude de celle-ci en assumant ce qu'elles sont et font, les personnes deviennent des victimes subissant les événements. La désillusion est fatalement au rendez-vous. Pourtant, vivre en étant responsable de sa vie, c'est le cadeau suprême qui met en joie. «*Nul ne peut se sentir, à la fois, responsable et désespéré*», nous révèle Saint-Exupéry.

Cependant, se positionner en victime donne certains privilèges auxquels ces personnes ne renonceraient pour rien au monde, comme celui d'exercer un pouvoir sur autrui en nourrissant rancœur et culpabilisation vis-à-vis de celles et ceux qui ont été «maladroits» à leur encontre. En proie à leurs ressentis négatifs, quoi que vous puissiez dire et faire, elles ne trouveront jamais rien de bien. Pour elles, vous êtes le diable en personne si vous les invitez au lâcher-prise. Quand ces personnes vous parlent, c'est leur mental qui cause : «Touche pas à mon ego, touche pas à ma souffrance ! Si j'existe et tiens debout, c'est par eux, alors…» Alors, pas de pardon qui tienne envers celle ou celui qui est porteur de fausse note à leur égard. Ces personnes sont dangereuses car il n'y a pas pire bourreau qu'une victime, bourreau pour elle-même et pour les autres. Il y a beaucoup trop de gens, certes maladroits mais innocents, qui ont subi ce que j'appelle le Syndrome de leur Terrorisme Émotionnel (STÉ) et qui parfois se retrouvent en prison à cause de ce genre d'individus. Suite à leurs projections mortifères créées de toutes pièces par un mental tourmenté et tourmenteur, des vies sont véritablement bousillées et personne ne trouve rien à redire. «*Ma bouche sera la bouche des malheurs qui n'ont point de bouche, ma voix, la liberté de celles qui s'affaissent au cachot du désespoir*», a écrit Aimé Césaire. Bien entendu, ces êtres ne sont pas conscients de ce comportement destructeur qui n'est qu'une stratégie pour obtenir regards et reconnaissance. Ainsi, de par leur identification à leur souffrance, ces «victimes» attirent intérêt et semblant de compassion. Les «sauveurs» qui les entourent inévitablement trouvent là ce qu'il faut pour nourrir eux aussi leur besoin de reconnaissance ou leur fonds de commerce. Le «ou» employé ici n'est pas exclusif. Toutes ces personnes, pseudo-sauveurs et victimes, ne réalisent pas qu'elles passent à côté de la musique de la vie, à côté de la joie tout simplement. Comme elles sont persuadées qu'elles ne la méritent pas, alors tout va bien, le serpent se mord la queue, c'est le cercle de souffrance parfait.

La fausse note se trouve dans le regard de ces personnes qui tentent de nous entraîner au sein de leurs méandres culpabilisateurs. Le malheur les attend, tout comme celles et ceux qui s'y laissent prendre. Mais cela n'est pas vain, car ce malheur a pour but d'abraser et d'adoucir ces âmes endurcies. Ces stratégies reliées aux besoins de réparation et de reconnaissance conduisent souvent ces personnes à penser que «c'est comme ça et pas autrement», car elles sont totalement soumises aux projections mortifères de leur mental. À ce sujet, j'aime ce passage de Gitta Mallasz: «*L'acte n'est plus réparation. On ne peut plus réparer. L'aide n'est pas réparation. Peux-tu recoller le fruit à l'arbre ? Lui, Il ne recolle pas, mais fait grandir.*»

Grandir, c'est cela qui est important. Grandir, c'est sortir de ce ping-pong infernal qu'est le renvoi de la culpabilité d'une personne à une autre, pour enfin aller vers la responsabilité, dans le sens d'habileté à répondre aux événements de la vie en y mettant du sens. Grandir, c'est ne plus être victime. Quoi qu'il arrive, l'être demeure entier dans sa souveraineté, éternellement bienveillant, autant face à ses propres maladresses que face à celles des autres, confiant que tout chemine à son rythme vers l'amour. Grandir, c'est ne plus être manipulé par son mental et ne plus entraîner les autres dans ses propres marasmes.

Lorsque notre mental nourrit et émet des pensées négatives, il est certain que l'on se ferme à la joie et à la grâce, on ne peut être que dans le manque. La fausse note est là, dans cette attitude, mais en même temps c'est elle qui nous titille jusqu'à nous faire croire que le bonheur est ailleurs. Sans aucun doute, la fausse note nous fait bouger... L'histoire de l'humanité nous le montre à travers ses quêtes et conquêtes, tous ces gens qui cherchent, vont et viennent, font des séminaires, stages et retraites spirituelles, «*cherchent ce qu'ils ne trouvent pas et trouvent ce qu'ils ne cherchent pas*», comme le dit si bien Rabîndranâth Tagore. Tout cela met en avant l'idée que devenir homme est un processus. Quoi de plus exaltant que cette idée-là ? Qu'est-ce qui nous pousse à aller chercher cet ailleurs plein de promesses ? C'est justement notre mental. Notre mental a le pouvoir étonnamment paradoxal de provoquer à la fois blocage et nécessité de mouvement. Notre mental est très puissant, voilà pourquoi on ne doit pas le détester. La seule façon de gagner la collaboration de son mental est de faire alliance avec lui. S'il y a bien une chose à apprivoiser dans sa vie, c'est lui. Si l'on veut détruire son mental, on se détruit soi-même. Le mental est un puissant moteur qui peut nous aider à aller dans la direction que notre cœur a indiquée. En sport, c'est significatif ; dans les grandes compétitions, c'est lui qui fait toute la différence.

Comment faire quand le mental nous emporte bel et bien au bord du chaos, dans la cacophonie la plus totale ? Il faut installer le silence à l'intérieur de soi. Seul le silence redonne une légitimité à ce qui échappe à notre compréhension. Se rallier au silence, c'est se donner le temps de se poser. C'est se donner un temps de recueillement qui nous lie à l'essence même du Tout. Tant que nous sommes englués dans nos marécages émotionnels du fait de notre mental, nous devons travailler à nous ouvrir pour ne plus souffrir jusqu'à ce que nous trouvions notre centre, notre Soi. Paradoxalement, alors qu'il est le Grand Tribunal Intérieur qui nous paralyse, le mental peut être un moteur qui nous conduit vers l'amour de soi. Quand l'amour de soi est là, tout s'aligne et le mental se tait. Mais cet alignement n'est que temporaire. Tout bouge, se déplace très vite, des forces antagoniques interviennent, agissant jusqu'à défaire tous ces équilibres. Ainsi le veut la loi de la vie, qui danse et chante pour nous emporter dans un perpétuel vacillement. Ce qui est vacillant, c'est la fausse note qui appelle chaque fois à la nécessité d'une nouvelle résolution harmonique. Cette nécessité nous tire, nous emmène jusqu'à un nouvel accord nous invitant au silence qui fait enfin sens pour nos sens. Mais cet accord et ce silence, aussi sublimes soient-ils, demeurent fragiles, précaires. Très vite, par la présence de nouveaux sons, l'harmonie se brise une nouvelle fois et d'autres sons arrivent encore, portant en leur sein les germes du prochain équilibre. L'impermanence est mère de toute éternité. Celle-ci ne peut être qu'au prix du vacillement. Nous sommes tous des funambules en équilibre incertain sur la grande portée musicale de la vie. Ce vacillement crée des nœuds, parfois nos fils s'entremêlent, la grande portée musicale part en vrille, alors les sons se mélangent, tout devient incompréhensible et notre mental n'aime pas ça.

Et pourtant... c'est comme ça que tout prend forme. Ainsi le beau, le juste, le silence se révèlent-ils par contraste. Plus la dissonance est importante, plus sa résolution est grandiose. Plus un ciel est chargé de nuages noirs, plus forte est la lumière quand il se déchire enfin. Il en est de même pour la musique de notre vie. Abondance, sérénité, bonheur se révèlent aussi par contraste. Plus nos souffrances ont été importantes, plus notre bonheur présent montre la réalité d'un chemin accompli. Nos fausses notes commises ou subies nous obligent à nous remettre en question. Par elles, peu à peu, nous allons vers plus de justesse, nous nous améliorons, nous nous transformons. Mais tant de choses nous échappent encore, le discernement n'est pas toujours là, quiproquos, malentendus, erreurs d'appréciation... La musique de notre vie n'est qu'une succession de maladresses (les fausses notes) et de prises de conscience (résolutions harmoniques) qui donnent à ce que nous sommes toute notre réalité.

Nous l'avons compris, les fausses notes font partie de notre existence, plus encore, elles la justifient. Pour l'homme, cette réalité n'est pas toujours recevable. Son mental aimerait bien contrôler tout ça, mais cela lui est impossible. Voilà pourquoi la musique de la vie lui demeure le plus souvent incohérente, injuste, parfois même cruelle. Son mental a du mal à en décrypter tout le sens, car cette musique est trop vaste, trop improbable, elle lui échappe. L'homme ne peut l'appréhender, car son mental est semblable à une sorte de double entonnoir vertical en lequel se déversent, jusqu'à parfois le submerger, grâce et ressentis de l'entourage dans la partie supérieure, et pulsions et émotions dans la partie inférieure[1]. Au niveau de la partie resserrée de l'entonnoir, cela occasionne de sacrés embouteillages. Parfois cela exaspère, épuise, égare : ce sont projections, interprétations, délires... Le deuxième double entonnoir qu'est l'arbre nous enseigne comment résoudre cette problématique : « Reçois sereinement tous les flux et courants de la vie, ne les retiens pas, laisse-les te traverser. » Le troisième double entonnoir, c'est l'homme. Quand celui-ci met ce puissant mécanisme que sont ses flux et courants au service de l'amour, alors son mental se libère. L'alliance cœur/mental met fin aux embouteillages. Par elle tout prend son sens, tout devient juste. Devenu bienveillant et confiant quelles que soient les situations, l'homme se positionne enfin en être heureux et responsable, assumant et transformant toute situation négative en possibles lumineux.

La grande alliance intérieure est essentielle, elle nous ouvre à la haute conscience. Quand mon mental est en paix, la grâce peut s'infiltrer partout en moi jusqu'à m'amener à rayonner et à

---

1. Voir la figure des trois doubles entonnoirs à la fin du chapitre.

éprouver ce moment de communion béni entre tous : assis face à un coucher de soleil, me voilà en train de caresser doucement tout l'espace. J'écoute sa danse et sens celle des astres autour, je ressens la respiration du Tout, son allégresse silencieuse. Je suis semblable à l'arbre, j'épouse la Terre qui, lentement, se déplace dans le vaste océan qu'est l'univers. Je prends conscience de ce qu'est la planète, un merveilleux navire céleste. Je fais un avec lui et me tiens à l'avant pour en devenir la figure de proue qui fend l'écume faite de nébuleuses, de constellations et d'étoiles...

Il arrive cependant que le mental nous fasse croire que nous avons atteint cette haute conscience, mais si celle-ci n'est pas encore intégrée par notre être tout entier, alors gare aux dégâts. Comme dans un ordinateur, il peut y avoir un conflit entre deux programmes. Le premier programme serait un mental qui ne cesse de dire à la personne : « Je suis dans le cœur et l'amour. Je m'aime et j'accueille. » Parce qu'elle a réalisé un chemin spirituel à travers divers stages, retraites, lectures et méditations, la personne est convaincue d'avoir atteint l'éveil... Inévitablement, de manière très concrète, la vie lui propose de mettre en application ses acquis. Face aux réalités existentielles imprévisibles et incertaines (les fausses notes des uns et des autres), il arrive que peurs et doutes reprennent le dessus. La personne, manipulée par son émotionnel, somatise et sombre dans la colère. Colère contre elle-même et les autres qui l'ont mise à l'épreuve. Son impuissance et sa désespérance mettent en avant la réalité d'un ego galvanisé par le mental. Bien entendu, tout cela n'est pas conscient.

L'autre programme dans ce conflit est ancien, lié à des héritages familiaux, à des blessures non guéries. Mentalement tout semble clair, analysé. En surface, belles paroles, belles postures — mais au fond, beaucoup de ruines... Le mental fait office de béquille et de colle. Il soutient un être morcelé, semblable à un puzzle démonté et sans motif. Cet être a beau se raconter de belles histoires, ce ne sont que des masques cachant sa misère. Lorsque ceux-ci tombent, c'est réellement un cadeau, mais que la désillusion est grande ! Beaucoup de personnes sont dans ce cas. Mais « *ce qui ne tue pas rend plus fort* », dit Nietzsche. Les fausses notes données par la vie brisent un équilibre précaire mais s'harmonisent magnifiquement si la personne accueille et traverse ce qui lui arrive afin d'aller plus loin dans sa réalisation personnelle. Pour cela, l'ego doit désenfler et se tourner vers plus d'humilité. Ce qu'il faut retenir de tout cela est que la vie nous impose sans cesse l'impérieuse nécessité d'être vrai avec soi-même. Comme si son éternité en dépendait, la vie nous essore, nous tord comme du linge mouillé pour que tout le mensonge logé en nous disparaisse définitivement.

FIGURE DES TROIS DOUBLES ENTONNOIRS

Le mental	**L'arbre**	**L'homme**
conditionné par les blessures et les peurs		le mental intuitif

Grâce et ressentis de l'entourage   Manne du ciel   Grâce et énergie de l'entourage

Branchages   Tête

Embouteillages

Tronc   Rayonnement d'amour

Buste

Manipulations émotionnelles

Racines   Jambes

Émotions et pulsions internes   Énergie du sol   Énergie tellurique

Chapitre 4

Différence et dissonance

S'il y a une fausse note qui blesse l'oreille, c'est bien celle-là : la soif de pouvoir. Elle est le mobile premier de tous les crimes contre l'humanité. Pour étancher cette soif, le premier outil utilisé est la stigmatisation par la différence. Milieu social, nation, langue, religion, sexe, etc. Cela a l'air inoffensif comme ça, mais en réalité, tout le malheur du monde commence là. Quand une personne ou toute une société se démarque et se glorifie par sa différence, qu'elle soit identitaire, politique, cultuelle ou culturelle, l'arrogance n'est pas loin. Inévitablement, on cherche à avoir raison sur son voisin, alors on endoctrine, on manipule, on harcèle. À chacun sa toxine, sa propagande, par les infos, la publicité, la littérature, le sport, le cinéma… Les différentes idéologies, qu'elles soient politiques ou religieuses, se distillent, s'infusent, s'infiltrent et s'affrontent partout dans les consciences éponges des masses. Les doctrines s'opposent parfois jusqu'à faire se haïr les hommes. L'humain n'est alors que du bétail à convertir. Plus le cheptel est important, plus c'est le cas. Les gens croient dur comme fer à tout cela. Deepak Chopra a forgé la notion forte d'*hypnose socialement programmée* pour décrire notre état de conscience collective. Les gens se dressent comme des bâtons dès que retentit l'hymne de leur nation et flotte au vent leur drapeau, vont à la prière, en vacances et au travail parce que l'heure a sonné…

Il ne peut y avoir de démocratie dans ce cas de figure, car un peuple ne peut être à la fois soumis et responsable. Nous sommes en réalité toujours et encore dans la *servitude volontaire* dénoncée avec lucidité et grande justesse en 1549 par Étienne de La Boétie. Chacun marche dans cette soumission à l'autorité, emmuré derrière des certitudes fabriquées, effroyablement seul malgré le nombre, subissant la tyrannie de l'apparence. Cette culture de la différence génère les clichés que nous connaissons tous, traduits à travers moult dictons, blagues et proverbes, terriblement réducteurs et invalidants : l'Antillais est paresseux, le Noir sent mauvais, l'Arabe est sale, l'Italien est séducteur, l'Allemand est discipliné, l'Asiatique est fourbe, etc. Il ne faut pas se laisser leurrer par ces stéréotypes qui divisent jusqu'à parfois générer les massacres que nos médias aiment tant nous rapporter. Comme il est affligeant d'ailleurs de constater que ce monde des médias ne construit pas des ponts qui rapprochent les peuples, et que parfois, le journaliste semble être plus près du charognard en quête de chiens écrasés et de cadavres qu'au service de la grandeur de l'humain. Heureusement, tout n'est pas sombre dans ce milieu. Il existe aujourd'hui de nombreux journalistes en quête d'infos positives, attentifs et sensibles à tout ce qui porte un souffle de joie et d'espérance pour le monde… Un proverbe africain illustre parfaitement cette situation : « L'arbre qui tombe fait plus de bruit que la forêt qui pousse. » Il est grand temps maintenant d'écouter la puissance de cette forêt qui pousse et de s'en occuper, d'en parler, de la montrer, car seul le positif génère du positif…

En attendant, pour la plupart, la puissance d'être ne semble pas encore signifier grand-chose. Aujourd'hui, la seule puissance que l'on reconnaît chez l'homme est celle de détruire et de s'entretuer.... Conditionné par le jeu des médias, le grand public suit avec avidité cette réalité. L'horreur et la guerre le fascinent... Il y a d'ailleurs une esthétique militaire étalée à grands frais par le cinéma. Combien de films mêlant patriotisme et honneur montrent des armées prêtes aux combats, oriflammes flottant au vent?... De la Légion romaine aux vaisseaux spatiaux, la guerre c'est grand, c'est beau, c'est noble. Qu'importe le prix, que ce soit celui du sang, de la peur, du désespoir, de la trahison, la guerre se doit d'être honorée. Celle-ci est omniprésente dans notre quotidien. Nations, drapeaux, hymnes nationaux, bruits glorifiant les fausses notes du passé. Le silence devrait remplacer tout cela. Un silence en mémoire des souffrances et des morts. Un silence pour entendre et laisser la place aux vivants d'aujourd'hui afin qu'ils bâtissent la joie. Même s'il y a la paix, la guerre est toujours dans nos rues, insidieuse. Qui n'a pas dans sa ville ou son village une rue du Général Leclerc, une avenue Foch, un boulevard du Général De Gaulle? Qui n'a pas quelque part dans sa cité un homme en arme sur son cheval, l'épée brandie vers le ciel, comme un défi à Dieu? Cet état de fait défendu par certains dirigeants de ce monde est une fausse note majeure... Il s'avère que la plupart de ceux qui gouvernent ce monde sont dans la force et le contrôle, seulement préoccupés par le pouvoir qu'ils peuvent exercer sur autrui et par ce qu'ils peuvent gagner en considération. Ils sont au service d'eux-mêmes en premier lieu et d'un système qui morcelle, et non au service de l'amour qui étincelle. La majorité de ces personnes ne pensent pas que tout agit sur tout de manière interactive et subtile, ne croient pas en l'invisible qui organise et structure avec bienveillance l'ensemble du vivant en nous et autour de nous. Et même si l'histoire retient le nom de certains, pour le vivant éternel et souverain, ceux-ci ne sont que bois mort. Mais c'est ce bois mort qui pousse d'autres hommes à se transformer en fleurs...

Comment devenir fleur ? Par la méditation, la prière, en cherchant à déceler résolument le beau et en œuvrant dans les réseaux parallèles de nouvelle conscience et d'amour, qui se développent aujourd'hui un peu partout. Curieusement, ces réseaux semblent suspects, voire nocifs, au regard des pouvoirs en place. Logique, ces réseaux tentent de faire en sorte que l'homme retrouve sa réelle grandeur, de l'éveiller et de l'affranchir des manipulations criminelles de certains êtres totalement dénués d'états d'âme. La plupart de ces individus ne sont que peurs et désespérances, blessés, ils n'ont pas conscience des ténèbres qu'ils portent. Que faire, sinon nourrir à leur égard une compassion infinie ? « *Père, pardonne-leur. Ils ne savent pas ce qu'ils font* », a dit Luc (23:33-34). Mais « *lorsque le pouvoir de l'amour dépassera l'amour du pouvoir, le monde connaîtra la paix* », nous dit avec raison Jimi Hendrix.

En effet, une fois que j'ai pris contact avec cette conscience d'amour, je n'ai plus besoin de pouvoir. Je suis alors en chemin vers ma pleine puissance. Celui qui fait l'expérience de sa pleine puissance ne recherche plus le « pouvoir sur », il incarne le « pouvoir de »... Le « pouvoir sur », que la multitude recherche et défend est le voile, la puissance d'être le met en lambeaux. Bien évidemment, cela implique une haute conscience, sinon ce « pouvoir de », au lieu de servir, éveiller, révéler, peut être dangereux au point de détruire la planète tout entière. Le « pouvoir sur » génère humiliation, frustration, jalousie, rancœur, colère. Dans ce cas, les personnes sont dans la survivance et cherchent par tous les moyens à être reconnues dans ce qu'elles sont et font. Elles entrent alors inévitablement dans le système des échelons à gravir, où chaque marche conquise est un pas de plus vers ce pouvoir qu'elles détestent autant qu'elles le désirent... Quand elles arrivent en haut, après moult ruses et efforts, elles deviennent à leur tour arrogantes, exerçant le « pouvoir sur ». Leur jouissance réside dans cette position de domination où elles sont quasi inatteignables à moins d'être achetées. La corruption prend sa source dans ce fonctionnement. Toute la folie humaine se trouve là, dans cette quête insensée de la différence qui se veut « au-dessus ». Les gens s'épuisent à être « plus », hélas, cela se fait toujours au détriment d'autrui. Combien se livrent à des querelles sans merci pour être plus haut sur le piédestal de leurs illusions ?

Les milieux dédiés à la spiritualité souffrent aussi de cela. Il existe certains individus qui se sentent supérieurs parce qu'ils accomplissent un chemin menant vers plus de conscience. L'ego n'est plus social, il est spirituel. À ce sujet, j'aime ce que nous dit avec justesse le père Stan Rougier : « *Ces affamés de la spiritualité se perdent parfois vers des stands farfelus de marchands d'illusion… Ils cherchent avant tout le goût de l'autre et celui de Dieu. On ne leur propose que des recettes pour l'épanouissement de leur ego et de leur apparence.* »

En règle générale, celui qui cherche le pouvoir a peu de puissance car s'il en avait, avec son pouvoir il changerait le monde. A contrario, pour celui qui est dans la puissance, tout est fait pour qu'il ait le moins de pouvoir possible. « Qu'on lui coupe la tête, qu'on lui coupe la tête », hurle la Reine de cœur d'*Alice au pays des merveilles*. Les véritables puissants de ce monde sont bien souvent en danger, peu aimés et peu reconnus. Sauf bien plus tard, à titre posthume.

L'illusion de l'illusion : la différence liée à la beauté physique. Parfois, sans que cela soit conscient, la personne qui se croit belle se met sur un piédestal et a l'air de nous dire : « Regarde, mais ne touche pas. » Son attitude hautaine et froide véhicule énormément de violence. Nous ne sommes pas dans la beauté qui s'abandonne, semblable à la fleur, qui, lorsqu'elle fane, reste encore belle en se donnant dans la chute. Nous sommes dans une beauté figée, avare, arrogante, qui rejette, ferme et frustre. Toute notre société cautionne et nourrit ce genre de beauté sur laquelle elle bâtit son économie. Logique ; plus l'individu est frustré, plus il consomme. Instrumentalisation par le désir… Ça s'appelle de la manipulation, fausse note légalisée, mensonge institué… La beauté est truquée pour le plus grand malheur des gens qui n'arriveront jamais à ressembler à ces images de rêve nourrissant complexes, désarroi et désamour de soi. Pour une photo de belle fille dans un magazine, un demi-millier de clichés. La main sera la photo 321, la jambe gauche, le cliché 528, le visage, la prise numéro 36, etc. À l'aide d'un logiciel de traitement d'images, on enlève le point noir sur la joue, que la maquilleuse n'a pas vu, on allonge la silhouette, on affine les hanches... C'est ce genre de trucage qui a donné deux pieds droits à Laetitia Casta posant pour la couverture d'un magazine féminin... Personne ne s'était rendu compte de la bévue... Enfin, il existe aussi des personnes pour lesquelles leur propre beauté est un handicap... Ces personnes sont tellement exposées aux regards et idéalisées que leur froideur n'est pas liée au piédestal mais à leurs peurs : celle de l'autre, celle de soi...

Cette idéalisation nous emmène enfin au piédestal par procuration, du type : « C'est un grand artiste et moi je le connais... » On retrouve cela partout. Autour d'un gourou gravitent les adeptes, fiers de leur statut de disciples, tout comme gravitent sous-directeurs et sous-chefs fiers de leur place autour d'un chef ou d'un patron. Pour rien au monde ils ne lâcheraient cette position. Et dans le secret de leur cœur, même s'ils ne sont pas prêts à le reconnaître, certains ne rêvent que d'une seule chose : devenir calife à la place du calife... Cela dit, il existe des gens qui n'ont pas ce genre de désir, mais le simple fait de se positionner en proche ou en ami de cette personne qui « a réussi » leur donne la sensation de se trouver plus haut sur l'escalier de la reconnaissance.

Tout l'édifice social est là, fragile par essence. Il ne tient debout que par le jeu des egos revendiquant la différence qui sépare, englués dans l'illusion du culte de la personnalité. Nous nous devons absolument de descendre de ces escaliers de misère qui ne sont que l'expression de la peur, une peur viscérale, irraisonnée, sur lesquels tant d'âmes s'échouent et meurent... Ce processus d'idéalisation de la personne a quelque chose d'infantile, il nous remet dans la posture du petit enfant qui a le sentiment que ses parents sont merveilleux et tout-puissants. Quand, à l'adolescence, son regard s'aiguise, la déception est souvent au rendez-vous.

Heureusement, il existe des personnes indifférentes à tout cela, conscientes que c'est à la fois futile et vain, leur regard ne déforme pas la personne, la simple réalité de ce que nous sommes leur est amplement suffisante. Ceux qui sont debout sur leur trône après moult efforts, compromis et sacrifices ont généralement peu d'estime pour ces êtres dénués d'ambition à leurs yeux. Du coup, combien n'osent pas être, se sentant complexés, insuffisants, inhibés par le couperet impitoyable des jugements de ceux qui sont « au-dessus » ? Malgré cela, nombreux sont ceux qui tentent tout de même, mais en tremblant, d'aller plus loin sur le chemin de la vie. Chaque fois qu'ils disent un mot, font un pas, ils s'excusent presque. Et puis, fatigués par tout cela, il y a ceux qui ont entendu autre chose et ont compris que le seul maître à suivre et à écouter, c'est leur maître intérieur. Ils ont intégré que le seul sommet à atteindre se trouve dans la profondeur de leur cœur. Ils tentent sans peur l'immense aventure de la vie et, de fait, remettent en cause l'établi en proposant d'autres voies, incarnant d'autres paradigmes, vivant et vibrant autrement. Ces personnes sont de plus en plus nombreuses, partout de par le monde leurs voix s'élèvent pour harmoniser les dissonances sociales en proposant de nouvelles résolutions harmoniques.

Parlons maintenant des femmes. Quoi qu'elles fassent, les femmes sont rarement dans le juste pour la plupart des hommes. Ainsi, pourquoi dans l'histoire y a-t-il eu si peu de femmes compositrices reconnues ? Sont-elles incapables de livrer l'harmonie à nos sens ? D'ailleurs, pourquoi y a-t-il si peu de femmes célèbres dans le domaine des arts en général ? La suprématie masculine serait-elle due à une connexion particulière avec Dieu ? Que nenni ! En réalité, par peur, par jalousie, les deux sans doute, les hommes ne leur laissent pas la place… Certaines combattent avec panache sur ce terrain et arrivent à s'octroyer la part du lion, mais la plupart des femmes soit s'effacent, soit préfèrent employer pleinement leur génie à élever les bébés qu'elles mettent au monde. Parce qu'elles mesurent à quel point ceux-ci sont précieux, elles leur donnent tout. Certaines personnes pensent qu'une femme au foyer ne fait rien parce qu'elle ne gagne pas d'argent. « Maman », ça ne s'écrit pas sur une carte de visite, rien de grandiose, rien de bien sérieux. « Femme au foyer, *Bises naissent Corporation* », vous imaginez l'effet ? Et pourtant, il n'y a rien de plus noble que ce don de soi à la vie qui vient d'arriver. Combien de femmes talentueuses ont mis ainsi de côté leur passion, parfois pour toujours, pour s'occuper de leur p'tit bout ? Les femmes ont cette grandeur d'âme, cette capacité de s'oublier pour servir la vie. L'humanité tout entière devrait avoir une reconnaissance et un respect infinis pour celles-ci, hélas, c'est loin d'être le cas. Il semblerait que la différence qu'elles incarnent et assument magnifiquement les condamne. Considérées jadis comme des êtres sans âme, suppôts de Satan, sorcières, elles furent brûlées, violées, vendues comme esclaves, excisées, chosifiées, insultées, battues...

Les femmes ont subi et subissent encore ces drames de la discrimination. Certaines sont complices de cet état de fait, d'autres se rebellent ou fuient, mais la plupart d'entre elles se résignent. Pour celles qui osent vivre pleinement leur vie, le chemin est souvent difficile. Même si aujourd'hui elles obtiennent davantage de reconnaissance et même si leur espace de liberté s'élargit de plus en plus, elles sont bien souvent seules. L'héritage est lourd. Combien de femmes se sentent encore « moins » que l'homme, coupables de leurs désirs, de leur sexualité, de leurs rêves, coupables d'être femmes tout simplement ?...

Décidément, en ce monde, il n'est pas simple d'exister dans la joie d'être et les plaisirs simples, la vie nous pousse ailleurs, dans le rapport de force, la culpabilité, le dénigrement, l'humiliation, la frustration. Dans ces conditions-là, la seule chose qui puisse se développer durablement pour l'humanité, ce sont les guerres.

Et pendant tout ce temps, la grâce tombe du ciel, et peu d'oreilles pour l'entendre et de cœurs présents pour l'accueillir. Et pourtant… alors que tout semble perdu, ce peu de cœurs et d'oreilles préparent la grande métamorphose. *« Là où croît le péril croît aussi ce qui sauve »*, nous révèle Friedrich Hölderlin. Là est le miracle humain. Oui, quoi qu'il arrive, gardons confiance et bâtissons le règne de la tendresse et de l'amour dans un monde sans piédestal, rien que cela.

Ces propos sur la mise en avant de la différence me rappellent cette anecdote. Je déjeunais avec un ami prêtre dans la banlieue nord de Paris. Sur son ventre imposant, une croix. Alors que je lui parlais de l'importance de l'ouverture aux autres en mettant de côté préjugés et a priori, il ne cessait de me mettre des étiquettes, tout le long du repas, pour peut-être essayer de me comprendre.

« Écoute, lui dis-je, un peu agacé, je suis juif, musulman, chrétien, animiste, je suis tout cela à la fois. Tout est en moi.

— Si je te dis que t'es Front national, t'es nazi alors…

— Ben oui, ça aussi.

— C'est grave.

— Tu sais, Montaigne a dit : "Toute la condition humaine est inscrite en chaque homme."

— Comment ça ?

— Cohabitent en moi la personne la plus abjecte que l'univers ait jamais conçue et l'être le plus accompli qui soit. Je suis animal, végétal, femme, enfant, vieillard, noir, arabe, chinois. Comme tout un chacun je porte toutes les mémoires du monde et, de ce fait, ne suis ni plus ni moins que quiconque. Je ne détiens aucune vérité, n'ai atteint aucun sommet. Je suis juste un homme ordinaire osant l'extraordinaire de la vie, conscient de mes parts fragiles. Seul le dépouillement de mes certitudes et de mes arrogances me permet d'entrevoir le sentier d'humilité qui me donne le privilège d'être plus près encore des autres. Parce que je suis presque aveugle et sourd au monde et à moi-même, je ressens ce besoin de me "déshabiller", d'enlever tout cadre et toute étiquette.

Cette nudité volontaire me permet d'être plus réceptif à la grâce et donc d'entrer en résonance avec le Tout qui m'entoure, dont je ne suis pas séparé. Les autres sont ce qu'ils sont, éternellement bouleversants à mes yeux. Conscient de mes failles et fragilités, je puis être davantage en empathie avec chacun car l'assassin résonne en moi, comme résonne celui qui marche sur l'eau. Seul un accueil inconditionnel de ce qui est, même du plus horrible et de l'insupportable, donne le temps nécessaire à la maturation inévitable. Je suis encore loin d'y arriver, mais j'œuvre à cela. Toute condamnation et tout jugement hâtif interdisent le dépassement et nourrissent rancœur et dépréciation de soi. Condamner traduit un manque de foi en l'homme et une prise de pouvoir sur sa part divine, qui par essence transforme tout. L'homme est le grand transformateur, ne l'oublions jamais. Confiance, quoi qu'il arrive. »

Je sentais bien qu'il comprenait la portée de mes propos, mais il ne voulait pas les recevoir. Pour lui, c'était inconfortable. Il se mit à rire et à parler fort, dissimulé derrière sa croix lui donnant le statut d'homme porteur d'une vérité reconnue par le nombre.

« T'es *peace and love*, toi. »

Encore une étiquette, ai-je pensé… Puis il changea de sujet, se mit à raconter une histoire drôle et rit tout seul, ivre de sa suffisance. Je repris, emporté par ma passion.

« Pourquoi revendiquer une différence jusqu'à s'en faire un rempart alors qu'elle est une réalité de fait ? Nous sommes différents, car chacun de nous est unique dans l'histoire de l'univers. Quand je porte une cravate à la place du cœur, une croix sur le ventre, une étoile au cou, un voile sur le visage, je mets un mur entre moi et les autres, un mur entre moi et moi. Quand je suis coupé de ma source, je ne peux être que dans l'illusion. Quand je nourris l'apparence de la vie, celle-ci m'affame. Cela dit, il n'est pas question d'empêcher les personnes d'exprimer leur appartenance à une réalité, qu'elle soit religieuse, sociale, ethnique ou autre. Que faire alors ? Il me faut me relier à ma profondeur pour prendre conscience de ma grandeur, de ma magnificence, sans chercher emprise et pouvoir sur autrui, tout en ayant bien conscience de l'illusion de ce moi qui est par essence éphémère. Et là, lorsque ce contact est enfin établi, aller vers les autres en portant des habits simples révélant, dans chacun de leurs plis, tout l'abandon de mon cœur. Même si ces vêtements m'affichent, lorsque je me trouve en face d'une personne, qui qu'elle soit, je ne devrais avoir qu'une seule chose à faire : lui faire sentir à quel point elle est importante à mes yeux et qu'elle me touche. Si je ne fais pas ça, je n'ai rien compris au miracle de la rencontre. Mon identité, mes croyances ne devraient être que des passerelles discrètes me menant à celle ou celui qui se trouve en face de moi. Je suis bien loin d'appliquer tout cela, mais chaque jour je reste attentif à cette réalité. Je pense que ce n'est pas dans des certitudes mais dans le vulnérable que je peux construire d'authentiques rencontres générant échanges et partages vrais. »

Je ne sais s'il a vraiment écouté, mais peu importe ! Je conclus en lui disant ceci :

« Il est juste de rendre grâce à Dieu, mais ce qu'il nous faut davantage honorer, c'est Sa création. Quand tu donnes de l'amour à Ses créatures, tu Le sers plus encore. En vérité, Lui, il n'a pas vraiment besoin d'être loué, Son œuvre, oui… »

Il me regarda intensément et me demanda : « Tu rentres comment chez toi, en taxi ou en métro ? »

Voir et entendre Son œuvre jusqu'à en être bouleversé est sans doute l'acte le plus beau que nous puissions Lui offrir. Le juste retour des choses est ensuite de Le remercier par notre chant intérieur. Ce chant peut prendre toutes les formes : une sculpture, une peinture, une danse, une prière, il peut aussi consister à modeler un paysage, cultiver respectueusement la terre, faire l'amour, la cuisine, écrire, diriger une entreprise, un pays, guider des personnes en leur indiquant la route de Soi et le chemin de l'humilité… Ce chant intérieur est nourri par la grâce qu'Il nous livre à chaque instant. Notre seule tâche est de la Lui rendre par notre travail.

Pour finir avec le thème de la différence, pendant la Caravane amoureuse 2010 France Liban, à la douane syrienne, ma compagne et moi croisons une femme portant le niqab. Toute de noir vêtue, elle marche avec élégance vers le poste de contrôle. Nous ne savons quoi penser. Une partie de nous réagit négativement, presque de manière hostile : « Quelle horreur d'être voilée ainsi. On doit sûrement lui imposer cela, pauvre femme. » Une autre partie de nous, complètement troublée, se dit : « Qu'elle est belle, quelle prestance, quelle grâce. » Nous restons tétanisés, ne sachant comment accueillir cette présence... Finalement, nous décidons d'un commun accord d'aller vers elle : « Vous êtes magnifique dans cet habit.

— Merci, ça me fait vraiment plaisir. C'est un costume traditionnel du sud de mon pays. Ce soir, je suis invitée à un mariage et j'ai choisi le plus beau.

— Ah ! je comprends. Eh bien ! c'est très réussi.

— Vraiment, merci.

— À un moment donné, j'ai pensé que c'était votre mari qui vous obligeait à porter ce vêtement.

— Mon mari ? Il est canadien, dit-elle en riant. Et vous, qui êtes-vous, vous venez d'où ? »

Alors je lui raconte un peu ma vie, le piano à travers le monde, la Caravane amoureuse, la traversée des pays en portant un regard amoureux sur la différence. Touchée, elle nous propose : « Ça vous dit de venir à ce mariage ? Je vous invite.

— Mais nous sommes cinquante.

— Je vous invite tous. »

Je reste figé devant autant de générosité et, intérieurement, je me dis : « Elle porte un voile sur le visage mais pas sur le cœur. » Quelle importance finalement que tout cela... Porter ou ne pas porter un voile, avoir des frisettes qui descendent jusqu'au cou, mettre une croix à son cou, se raser la tête, se teindre les cheveux, porter un turban... Ce ne sont que parures, costumes et déguisements. Après tout, que chacun exprime comme il l'entend ses convictions et croyances. Et même si porter le niqab est un signe de soumission à Dieu, en quoi cela est-il nuisible pour la société humaine, à partir du moment où la personne l'assume et ne s'en sert pas pour faire du prosélytisme ? Au contraire, notre société ne peut que s'enrichir de cette diversité colorée, aussi inévitable qu'indispensable. L'humanité est un merveilleux kaléidoscope multicolore, et contrairement à ce qui se dit, il y a de la place pour toutes les expressions. Rejet, peur, paranoïa alimentent colère, violence et finalement intégrisme. Dans ce cas, pourquoi ne pas interdire le port de la cravate, signe ostentatoire s'il en est du système capitaliste ?... Résolument, il nous faut apprendre à accueillir la différence. Du coup, en retour, celle-ci nous accueille aussi et nous invite à partager tous ses mystères.

Chapitre 5

La loi des résonances

«Au commencement était le Verbe et le Verbe était auprès de Dieu et le verbe était Dieu[2].»

JEAN (1:1)

Imaginons ailleurs, quelque part, concentrée en un point infiniment petit, toute la densité de l'univers avec son devenir et l'ensemble de ses possibles… Soudainement, au cœur du point, un son résonne à l'unisson du vibrant immatériel incréé et créateur: «J'ois.» Le «J'ois» induit le «Je suis». Parce que j'ois, je suis… Le verbe ouïr à la première personne du présent, c'est la conscience qui prend conscience d'elle-même. Cela provoque une montée en pression aussi fulgurante qu'insoutenable, et tout se libère. Le point comme un ballon se gonfle, la conscience se déploie et d'un seul coup forme l'univers tout entier. «J'ois», c'est la conscience qui entend et comprend le chant de l'amour et proclame d'emblée qu'il est la cause de la fulgurance de la vie, big-bang originel

---

2. *«In principio erat verbum et Verbum erat apud Deum et Deus erat Verbum.»*

jaillissant comme la plus absolue des jouissances. Ce « J'ois » n'est que joie pure.

Le big-bang, c'est le grand rire aux éclats multicolores du « Je suis » qui s'aime et sème en tous sens, le tout en dansant et chantant.

Seule une perception totale du mystère du chant de l'amour peut générer une telle joie explosive. Dans le silence de l'avant-genèse, cela fait un peu fausse note, toute cette bruyante exubérance. Mais comment ne pas être en joie lorsque j'ois la musique de l'amour ? Quand j'ois la musique de l'amour, cela me met en joie et parce que je suis en joie, j'ois ce présent qui me rend présent au présent. « J'ois » et joie ne peuvent être l'un sans l'autre. L'un est question, l'autre est réponse. L'un raisonne, l'autre résonne. Lorsque j'ois la musique de l'amour, tout s'unit jusqu'à brûler dans un feu qui n'est que pure passion. « J'ois » et joie sont le catalyseur de toute naissance, que ce soit celle d'une graine, d'un embryon humain, d'une étoile… Par la loi des résonances, « J'ois » et joie sont un, père-mère de toute lumière… « J'ois » et joie est Son nom…

De ce premier verbe-nom coule dans l'instant qui suit le mot silence. Celui qui se recueille, savoure, se remplit par l'écoute de ce qui est donné. Puis, comme un éventail qui se déploie, se déclinent les mots gratitude et servir… Quatre mots — joie, silence, gratitude, servir — répartis comme quatre points cardinaux aux axes tous dirigés vers le centre, vers le « ce qui vibre intensément », le cinquième point, le cœur de Dieu qui vient de naître. Cinq points, comme les cinq éléments, les cinq doigts de la main, les cinq sens, comme les cinq premières notes de la gamme donnant l'intervalle de quinte à partir duquel s'épanouissent toutes musiques. Cinq points comme le symbole de la structure de l'humain d'après Hildegarde de Bingen, trois éléments en haut (la tête et les bras) et deux éléments en bas (les jambes), traduisant l'accord du cosmique et du terrestre. Cette vision mystique de l'humain compris comme le temple de l'univers fut reprise à la Renaissance et réactualisée par Léonard de Vinci sous la forme de l'*Homme de Vitruve*...

Cette girouette spirituelle se soumet au Souffle. Permanent même dans ses moments d'*inspir*, celui-ci porte en tous lieux le chant de l'amour. Ce chant exprime tous les désirs. Il est si vaste qu'il échappe à notre entendement, au temps et à l'espace. Ce chant est si grand que rien ne peut le contenir. Invisible, impalpable, insondable, ce chant est le rien qui peut tout et le tout qui se suffit à lui-même. Il est le vibrant matriciel unissant tous les sons jusqu'au silence, du plus fin au plus épais, du plus grave au plus aigu, battant tous les rythmes, mariant tous les modes. Il est le « bruit de fond » de l'univers décelé par les radiotélescopes des astrophysiciens, et aucun d'entre eux ne peut en expliquer l'origine et la raison. Ce chant, nul ne sait d'où il vient et où il va, mais il résonne partout, autour de nous, en nous... Oui, l'amour chante en nous. Et cette musique, rien ne peut l'arrêter ou l'éteindre, car elle est lumière de toutes les lumières... Dans le grand ciel, elle se diffuse, se propulse et se propage. Tout la porte, et ses harmoniques se projettent à l'infini. Par la loi des résonances, j'attire à moi ce que je suis, pense, ré(ai)sonne. L'univers est un immense vase fermé sur lui-même, en lequel, comme des échos boomerang, les pensées et intentions de tout le vivant qui l'habite rebondissent sur les parois, se traversent et se répondent. Celles-là, sous forme d'ondes, vont et viennent, s'entremêlent, suivant des parcours obéissant à une logique cosmique, la loi des résonances, que nul ne peut appréhender dans sa globalité. Pour laisser la place à ces mouvements vibratoires se déplaçant à la vitesse de la pensée, bien plus rapide que celle de la lumière, le silence est présent partout dans le grand vide intersidéral. Ces flux et reflux d'énergie pure réalisent une véritable trame invisible sur laquelle se tisse toute matière.

Qui suis-je donc pour participer à cela ? Je suis le mystère qui fait écho au mystère, vaste entité à la fois homogène et hétérogène, insondable. Du coup, ce que je suis me fascine et me fait peur à la fois. Pour les mêmes raisons, les autres m'attirent et m'inquiètent… Ce qui résonne comme moi m'attire et me fait vibrer, tout comme le diapason se met à vibrer lorsqu'une harmonique reliée à son étalonnage sonne à ses côtés. Mais dès qu'il s'agit d'autres sons non reliés à l'étalonnage, plus rien, le diapason reste muet. De la même façon, lorsque je me rends à une soirée dans laquelle je ne sais rien des invités, curieusement, certaines personnes me sont indifférentes, d'autres m'interpellent. Nous nous trouvons là encore en face de la loi des résonances. En réalité, tout se dit au-delà des mots et des regards. J'attire à moi ce que je suis, et je vais vers ce qui résonne comme moi… Quand je suis en joie, j'attire la joie, quand j'ai en moi de la colère, j'attire la colère. Quand je suis dans le vouloir, j'attire à moi ce qu'il faut pour rester dans le vouloir. Par résonance, j'attire des événements qui vont alimenter ce que je nourris intérieurement… L'univers est un miroir incroyable où tout se reflète dans tout. Inévitablement, il me renvoie ce que je pense, ce que je crois, ce que je défends. Il donne forme à mes peurs si je les cautionne sans arrêt. Ce que je pense, crois, défends produit ce que je vis et vais vivre. Tant que je ne suis pas dans l'amour, l'univers m'envoie sans cesse des épreuves jusqu'à ce que je me libère de mes peurs et rancœurs. Il m'invite à lâcher prise pour m'ouvrir à lui.

À chaque leçon intégrée, l'amour s'installe un peu plus dans mon cœur. En clair, à travers les difficultés, la vie m'invite à la joie à chaque instant. Peu à peu, le diapason que je suis modifie sa fréquence pour s'orienter vers des qualités vibratoires de plus en plus subtiles, afin d'attirer par résonance des énergies de plus en plus positives, propres à exaucer tous mes rêves, « le reste viendra de surcroît ». Les êtres humains sont semblables à des bols chantants — l'homme sonore —, tous à la base devraient sonner magnifiquement — l'homme sonne or —, mais les multiples blessures, les souvenirs et les héritages altèrent la beauté de la résonance. Ainsi, il arrive que des bols chantent difficilement, certains pas du tout. Malgré tout, du son creux au son profond, il nous faut accueillir et honorer toutes ces résonances, se laisser traverser par elles... juste traverser — l'homme s'honore —, et continuer son chemin en affinant son propre chant, en s'accordant le plus possible avec soi et les autres. L'univers répond fatalement en abondance à cet abandon généreux. S'accorder mène à la justesse, la justesse mène au sens qui est celui d'être relié au Tout — ou en résonance avec le Tout. Nous sommes univers, tous *unis vers* la joie...

Chapitre 6

Écoute, méditation et prière

L'écoute est le plus grand cadeau que l'on puisse offrir à la vie et à soi-même. L'écoute me remplit, me nourrit et en même temps, par elle, j'ai le pouvoir de tout transformer. Ainsi, si je rejoins un groupe de personnes pour leur parler et que celles-ci me coupent la parole, rient entre elles alors que j'essaie de partager quelque chose, je ressentirai une sorte de rejet évident qui me fera partir et nourrira en moi un malaise certain. Si je suis coutumier de ce genre de situation, peu à peu, je vais me fermer aux autres, me recroqueviller sur moi-même, perdre confiance en moi et en la vie. Inversement, si, lorsque je vais vers ces personnes, celles-ci manifestent de l'intérêt pour mes propos, font silence alors que je leur parle, l'être que je suis va se redresser, s'épanouir, prendre sa place dans l'espace. Je vais gagner en confiance et serai alors plus ouvert à la vie et à tous ses possibles. L'écoute a l'incroyable pouvoir de révéler. Tout est lié et répond aux mêmes lois. Une nuit d'été, contemplez le ciel et choisissez une étoile, prenez le temps de la regarder et d'écouter sa lumière, je suis convaincu que cela changera son éclat.

L'écoute, c'est le secret qui nous conduit à recevoir les signes de la magnificence. L'écoute, c'est quand tout notre être s'incline devant la manifestation de la grâce.

Vivre autrement la musique de la vie commence là sans aucun doute, par cette attitude humble et discrète. L'écoute semble nous mettre dans un état passif. En vérité, c'est un acte hautement actif, car par elle nous recevons la joie, par elle nous la redonnons.

Lorsque j'anime un séminaire d'une semaine, en général, musiciens confirmés et profanes se mélangent... Le dimanche soir, alors que les personnes une à une se présentent au groupe, chacun se regarde sans vraiment se regarder. Quand il s'agit d'un professeur de conservatoire, d'une pianiste concertiste spécialiste de Liszt et de Schumann qui s'expriment, amateurs et débutants sont littéralement effrayés. Ils se disent : « Mais qu'est-ce que je fais là ?... » Quand vient leur tour de se présenter, j'entends dans leur voix peurs, doutes et complexes. Ainsi, tout commence le dimanche soir, par l'écoute de ce que les gens disent et ne disent pas. Il me faut rassurer chacun, lui faire sentir que savoir et technique ne sont pas nécessairement les clés permettant d'ouvrir la porte à l'improvisation musicale : « Un grammairien n'est pas toujours poète, dis-je régulièrement, le mystère de la création ne réside pas dans le savoir et dans le travail acharné. L'histoire est ailleurs, elle est dans l'art de l'écoute. » Lundi matin, neuf heures, tout le groupe est en cercle, assis par terre sur des coussins. Après quelques minutes de méditation, temps de centrage et d'alignement nécessaire, j'invite une personne à aller jouer. Personne ne bouge. Au bout d'un certain temps, quelqu'un se lève. C'est souvent la personne qui pense être la plus nulle qui se « sacrifie ».

« Comme je ne sais rien, je n'ai rien à perdre.

— Ne joue pas, lui dis-je, écoute... Prends le temps avec chaque son. Laisse-le s'épanouir dans l'espace tout autour, puis invite-le à entrer en toi. Écoute ce qui se passe. Qu'est-ce que cela ouvre en toi, qu'est-ce que cela ferme... Pose ta respiration, appuie sur les pédales de droite et de gauche, et vas-y... »

La personne s'applique à suivre ces consignes, et là, comme par miracle, la musique est tout de suite présente. Il se passe quelque chose d'inexplicable qui touche tout le monde. La grâce est là, tangible, perceptible. S'il existait des lunettes permettant de percevoir les ondes vibratoires, nous pourrions voir la grâce traverser la personne de la fontanelle aux pieds, ressortir par ses mains, envelopper le piano puis l'espace autour et enfin toute la pièce avec son petit public... Ce qui est beau, c'est de voir la transformation du visage. Inquiet au départ, il devient figure d'icône quelques instants plus tard, totalement abandonné à ce qui est et à ce qui vient. C'est chaque fois la même chose, après ce petit concert hors du temps, la personne n'est plus la même. Il s'est passé quelque chose, mais quoi ? Tout le monde est sidéré, y compris celui qui a joué. Il arrive parfois que la personne ne mesure pas ce qui vient de se produire. Elle nous livre quelque chose, elle ne sait pas encore que c'est *sa musique*. C'est beau à pleurer, mais elle ne s'en rend pas compte. Le mental fait encore barrage, elle ne peut pas entendre ou admettre qu'elle est traversée et traversable par la grâce... Les personnes se suivent et c'est considérable. Presque chaque fois, on peut percevoir les tremblements des mains et des jambes. On sent que ces personnes ont peur d'être jugées. Elles doutent et redoutent. Quand elles ont fini de jouer, certaines d'entre elles ont les yeux rouges, sont au bord des larmes. Quelques-unes pleurent même ! Dans le ciel intérieur de ces apprentis musiciens, c'est l'orage. S'opposent la joie brûlante de cette révélation et la colère froide contre un système inhibant et contre tous les gens qui les ont amenés à douter. Ils découvrent que si l'on accepte les « fausses notes », elles enrichissent la musique de la vie. Toute la subtilité de ce travail est là, justement, dans le fait de savoir accueillir et intégrer ces fameuses fausses notes, que j'appelle *maladresses de la vie*, d'où qu'elles viennent. Alors seulement ces personnes peuvent se réconcilier avec elles-mêmes et avec les autres. Il est beau de les voir accueillir leurs paradoxes et leurs contradictions dans la joie et non dans la culpabilité.

Ce qui est fou dans ces improvisations qui s'enchaînent, c'est que chaque fois la musique est différente, aussi belle que profonde. Et là, il se produit quelque chose d'inattendu. Les professionnels si sûrs de leurs diplômes, de leur technique, de leur savoir, n'en mènent plus large. Ils se font tout petits dans le groupe. De par leur étalage de la veille, ils se sentent obligés de réussir. Ils ne peuvent pas jouer quelque chose qui ne veut rien dire, qui soit «laid». La pression est énorme. L'interprète de Liszt se lève et s'installe devant le clavier. Elle essaie déjà par son attitude de nous en imposer. Gestes secs, précis, assurés, visage fermé, autoritaire qui dit: «Bon, c'est moi qui commande ici.» Derrière ce masque, en réalité, c'est la tempête. «Qu'est-ce que je vais faire? Allez, quelques bons traits d'arpèges, ça en jette les arpèges, quelques harmonies qui fonctionnent bien, ça devrait aller...» La personne se rassure grâce à sa technique. Elle se lance, ça sonne bien. Belle maîtrise, tout le monde est impressionné. Au bout de quelques minutes, la pianiste termine avec un bel accord qui résonne... C'est fini. Elle ne regarde pas le groupe, elle attend le verdict. Tout le monde dit: C'est beau, c'est bien, c'est fort... «OK, OK, dis-je, c'est vrai, vous avez raison, mais avez-vous été vraiment touchés? Avez-vous vibré?» Et là, c'est unanime, les gens ne sont pas bouleversés. Il manque un petit quelque chose qui fait qu'il manque tout. Si nous avions gardé nos lunettes permettant de visualiser les ondes vibratoires, nous aurions vu la grâce entrer par le haut de sa tête, et le plus gros du flux rebondir sur son crâne et disparaître. Merci, au suivant... La prof de piano se lève et s'installe à son tour devant l'instrument. Elle est livide. Oui, l'écoute est fondamentale, mais laquelle? Si j'écoute mon orgueil, m'enferme dans mes certitudes, je deviens autiste vis-à-vis de moi-même, des autres, de la vie. Si j'écoute avec humilité le silence et installe celui-ci en moi, je me rends réceptif au mystère de la grâce. Alors, mon écoute devient méditation. Une méditation profonde, pleinement en résonance avec ce qui est et avec ce qui vient. Je ne cherche plus à me juger, à faire, à prouver, à aucun moment. Je m'abandonne à ce qu'il y a de plus vulnérable et incertain, je me livre. Je suis juste là, confiant, à l'endroit le plus juste qui soit pour moi dans l'univers tout entier, et là… tout vient. Peu importe le niveau de savoir et de technique, quand l'écoute rejoint la méditation, la personne ne joue pas, elle prie. Nous sommes alors témoins de l'être qui se dénude et nous le voyons faire l'amour avec le grand tout. L'expression «faire l'amour» est faible, en réalité nous voyons l'être s'unir avec ce grand Tout jusqu'à s'y fondre. Comme lors de retrouvailles, un instant de fête indicible s'offre. Ce qui était séparé s'assemble de nouveau. Le sanctuaire que nous sommes s'ouvre et révèle le sacré. Alors, celui-ci s'épanouit et devient présent partout, dans chaque son, chaque silence, dans chaque coin de la pièce où nous sommes, dans chaque cellule de notre être, pas une parcelle n'est oubliée… À ce moment-là l'intime n'est plus, car il est partout.

Chapitre 7

Celui « qui sait », celui « qui ne sait pas »

Celui « qui sait » aime rarement les fausses notes. Souvent impitoyable avec elles, il pardonne difficilement l'erreur, la maladresse, autant à lui-même qu'à autrui. Celui « qui sait » n'est pas tendre. Il assoit sa raison d'être sur sa capacité à contrôler à la fois sa propre vie et son entourage, et à condamner celles et ceux qui trébuchent à ses yeux. Celui « qui sait » culpabilise. Par nature, il fige et ferme, car il se limite à ce qu'il sait. Emmuré dans son savoir, il s'est construit une sorte de forteresse illusoire qui, à la fois, lui donne un semblant de pouvoir et le rassure face à l'inconnu. Il n'y a qu'à voir comment certaines personnes au sein de certaines professions utilisent un jargon hermétique dans lequel elles se complaisent pour se donner une importance de polichinelle. Inévitablement, du fait des événements de la vie, cette forteresse de certitudes se lézarde. Alors celui « qui sait » se sent en danger. Sa meilleure défense consiste à attaquer ou à s'enfermer plus encore. Souvent, celui « qui sait » se croit supérieur, méprise les autres et a tendance à accaparer autant les biens que les personnes. Il arrive que celui « qui sait » crie utopie et rejette une idée qui dérange son système de pensée, ses modes de fonctionnement. Celui « qui sait » nomme chaque chose d'un nom savant, mais prend rarement le temps de s'agenouiller devant leur miracle...

En revanche, celui « qui ne sait pas » va plus souvent respirer la fleur, il caresse la pierre, va à l'arbre, lui parle, l'écoute puis l'étreint. Celui « qui ne sait pas » imagine l'impensable et ose souvent l'impossible... Cependant, il arrive que celui « qui ne sait pas » pense qu'il vaut moins que celui « qui sait ». Il se trompe. Celui « qui ne sait pas » est plus près du mystère, plus apte à recevoir l'immensité bouleversante de nuances et de subtilités incroyables. Celui « qui ne sait pas » est plus près de Dieu que certains érudits imbus de leur personne. D'ailleurs, Dieu lui-même ne sait pas. Il est la *co-naissance*, Celui qui est avec toute naissance. Ainsi, avant que tout ne soit, Dieu nourrissait dans le secret du néant un projet dont Il accueillait tout quant à son devenir : la vie. Quand dans le grand ciel Son idée fusa, celle-ci partit en tous sens et trouva elle-même ses chemins. Puis Il lui laissa toute la place, jusqu'à ce que celle-ci L'emplisse complètement au point de ne faire plus qu'un. Et depuis, Il s'émerveille. Parce qu'Il aime tout, Dieu connaît tout mais ne sait rien et ne veut surtout rien savoir afin d'être surpris encore et encore... Parce qu'Il aime tout, Dieu est tout-puissant mais reste vulnérable comme un coquelicot qui meurt et renaît à chaque instant, et ce, pour se renouveler sans cesse par l'intensité de ce qui est et de ce qui vient. Là est le sens même de toute virginité...

Hermétisme, sciences occultes, arcanes secrets, savoirs réservés aux initiés, tout cela n'est qu'élucubrations d'egos assoiffés de reconnaissance. En définitive, la vie est tellement généreuse qu'elle ne cache rien. Elle se livre en toute transparence, dans tous les sens, avec une simplicité désarmante. Et c'est parce qu'elle va en tous sens qu'elle est le sens. Seul un cœur humble et aimant peut le percevoir jusqu'à le recevoir. Quand on s'efface, tout se révèle. Cela dit, il nous faut quand même un savoir, afin de ne pas nous brûler éternellement en touchant le feu. Mais ce savoir n'est pas destiné à nous rendre supérieurs pour dominer. Il est juste là pour nous inviter à être encore plus respectueux de ce Tout qui nous est donné. Il est destiné à être partagé afin de s'enrichir de ce partage. Le savoir doit être accessible à tous, en toute simplicité. Il est semblable à un oiseau nous apportant des messages. Ne le mettons pas en cage dans notre tête. Celle-ci doit rester ouverte pour que tous les oiseaux du monde nous traversent. Chaque message nous façonne. Cependant, dans le même temps, ayons la sagesse de rester vierges, toujours ouverts à la vastitude. Ainsi, je puis être rempli de savoir tout en gardant la fraîcheur de l'enfant qui porte un regard émerveillé sur toutes choses comme si c'était toujours la première fois. Il en est de même pour la sexualité. Je puis aimer, aimer et aimer encore, et rester vierge, immaculé(e), éternellement. À la seule condition que cette sexualité soit vécue dans l'instinct et le sacré métissés. Lorsque je m'abandonne à ce qui est et à ce qui vient, chaque instant me virginise. Seul le jugement qui condamne nous déflore jusqu'à nous salir.

En fait, je suis à la fois celui qui sait et celui qui ne sait pas. Au-delà de la dualité, les deux se nourrissent mutuellement. Quelle merveilleuse situation que celle-là et quelle tristesse pour celui qui croit tout savoir, qui ne s'émerveille plus, à qui vous dites : «As-tu vu ce coucher de soleil ?» et qui vous répond en regardant ailleurs, d'un air blasé et condescendant : «Eh ben quoi, c'est un coucher de soleil…» Souvent, je dis à mes stagiaires : «Vous qui venez pendant une semaine pour recevoir mon enseignement, sachez que même si je suis là devant vous à vous parler, je ne suis pas plus que vous. Je n'ai rien atteint, je ne suis pas meilleur. Je suis juste là avec vous pour partager une expérience de vie particulière. Pendant cette semaine, j'apprendrai de vous tout autant que vous apprendrez de moi. Ensemble, nous cheminerons…»

Tout cela me rappelle un quatre mains en concert avec un « celui qui ne sait pas ». Voilà quelques années maintenant, je devais donner un récital sur une plage au moment du coucher de soleil. C'est peut-être cliché, un piano à queue près des vagues, mais peu importe, jouer au bord d'un océan, c'est magique... C'est un cadeau que je m'offre, celui de converser avec l'écume, le vent et le sable. Dans ces moments-là, je me sens libre, je ne suis plus un être terrestre soumis aux limites physiques du monde, je me sens infini, inaltérable, rempli d'éternité.

Les gens arrivent et s'installent les uns contre les autres autour de moi. Une personne s'assoit tout contre mon piano, l'oreille collée au bois, les yeux fermés, elle s'imprègne. Qu'entend-elle ? Tant de souvenirs se sont gravés sur cet instrument... Tant de mains qui l'ont touché, caressé, qui l'ont fait chanter... Tant de pays traversés, de paysages insolites pour lui, au milieu de l'impensable. Sent-elle la pulsation de désir sourdre de ses entrailles ? Sent-elle que c'est par lui que je pénètre le monde et cette humanité, que c'est par lui que je l'aime charnellement ? Sent-elle ce qui nous lie, lui et moi ? Je ne saurai jamais ce qu'ils se disent l'un l'autre, mais leur dialogue secret m'apaise et me fait sourire. Il y a des murmures qui touchent l'enchanté... Je tourne la tête, il y a des gens partout assis sur les dunes environnantes. Certains ont apporté de beaux verres avec une bonne bouteille de vin, quelques-uns ont pris couvertures et coussins, des couples s'enlacent, d'autres méditent... Ça me bouleverse, ça m'impressionne. Le vent lui aussi s'est allongé pour écouter et le soleil n'a plus envie de se coucher. Je l'entends rechigner : « J'veux pas aller dormir, pas tout de suite ! » Le silence est là, enfin... C'est toujours lui qui arrive en dernier, c'est comme ça, il aime se faire attendre.

Voilà, c'est bon, maintenant il va falloir y aller. Un dernier regard sur ce public plein de mystères. Une caresse sur mon piano, je plonge mes yeux dans les cordes, les étouffoirs, encore les cordes et le laisse filer jusqu'à la mer... Le silence se fait aussi dans le premier geste... C'est le moment de la grande intériorisation… Je pose un doigt sur le sixième si bémol… je le laisse s'envoler, et puis le mi bémol suivant… J'écoute. Je ne sais pas où je vais. Je me laisse emporter par mon « je ne sais pas où je vais ». Ça m'amuse et je m'oublie dans ce « ça m'amuse ». Ce « ça m'amuse », c'est justement *ça, ma muse.* Je devine un thème, je le tire et l'emmène doucement en ouvrant toujours plus, et dans ma tête, une petite voix me dit : « Retiens, retiens, pas trop vite, prends ton temps… écoute, laisse le souffle prendre la place, retiens… » Et je retiens. Je reste dans la douceur infinie et le délicat. Avec la musique, je parle à des âmes autour de moi. Je sens leur soif, leur détresse, je parle à leur solitude, j'éteins leurs peurs par l'amour qui me traverse. Ces hommes et ces femmes, j'aimerais tous les étreindre. Tout en jouant, j'admire ces gens, je croise le regard émerveillé et brûlant d'une adolescente « émerveillante », un homme, les yeux fermés, le visage baigné de musique, celle que je reçois et donne, j'aimerais le rejoindre dans ses méandres méditatifs, une dame âgée qui me sourit, reconnaissante, des enfants qui, avec leurs paupières, acquiescent en silence, dans l'ombre un pouce qui se lève discrètement… Je vogue en vous… Qu'avez-vous vécu ? Quelles épreuves terribles avez-vous traversées ? Chez certains, leur corps raconte des tempêtes et des naufrages. Malgré tout ça, ces personnes restent dignes et droites et portent ce sourire qui les rend belles. Je suis sûr qu'elles ne mesurent pas à quel point elles le sont.

Et puis je sens derrière moi quelque chose bouger et venir. C'est un tout petit enfant, d'un an à peine. Il doit savoir marcher depuis peu, car il s'approche difficilement. Comme un funambule sur son fil, il marche les bras tendus en l'air à la recherche d'appuis invisibles pour maintenir son équilibre précaire. Il vient, ce petit, et ses yeux, ses cheveux, ses oreilles ne sont que sourire… Il vient vers moi pour jouer comme moi. Il est celui « qui ne sait pas ». Il ne sait pas ce que je suis, que je suis en plein concert, il n'est que bienveillance. Je ne peux que m'incliner devant cette pure présence. Je le laisse venir et lui ouvre la partition vierge de l'instant, en intégrant sa future musique que joyeusement j'imagine déjà. Je n'ai qu'un désir : partager avec lui sa grâce qui vient. Avant même que ses parents n'interviennent, tout en jouant d'une main, je l'attrape doucement de l'autre et l'installe sur mes cuisses. Le public est médusé, incrédule. Face au bébé, un clavier immense, souvent effrayant pour des adultes novices en musique. Mais pour lui, rien de terrible, il ne voit pas un grand clavier, il ne s'y intéresse même pas, il ne voit que son doigt et deux ou trois touches blanches et noires tout au plus. Il n'imagine rien, il n'est que sourire en face d'un autre sourire : la vie. Il est là, pleinement. Ce qui se passe me régale. À cet instant, même l'océan oublie ses vagues. À cet instant, tout écoute. Le bébé lève sa main, tend un doigt et lance sa première note au ciel… Elle n'est que lumière… Ne pas penser face à la fulgurance, surtout ne pas penser. Je réponds à sa note par une note. Deux notes enlacées au sein desquelles le silence s'installe en profondeur et mon cœur palpite de joie, toutes mes cellules rient, je les entends. Le bébé regarde autour de lui et écoute ce qu'il a produit. Il ne bouge plus, il semble satisfait et reste en attente. Je lance deux ou trois notes. Dans un sursaut de contentement, il jette sa main sur le clavier et je fais pareil. C'est sublime, tout se joue après cette explosion de sons. Dans la résonance, je lance des gerbes de notes délicates et cristallines. Comme dans un feu d'artifice, ce qui est beau, ce n'est pas le boum éclatant, mais la chute des gerbes de couleurs.

Autour, tout s'est pétrifié et moi je suis comme suspendu. Nous sommes dans le « jamais entendu », hors du temps, éternité de ce moment, la grande musique est là, offerte à ce public étrange et à moi. Avec l'enfant, tout est dit maintenant, je le rends à son papa qui n'en peut plus de joie et de fierté. Celui « qui ne sait pas » est venu et m'a ouvert plus encore à la vastitude. Alors, je vogue jusqu'à n'avoir plus d'appuis et je chois… Je m'abandonne dans l'inconnu et m'envole. Je ne suis plus là et le public disparaît pour devenir un paysage que je parcours lentement du regard. Je m'envole et mon piano est mon lest. Comme il est nécessaire pour les plongeurs d'avoir des semelles de plomb pour marcher au fond des océans, mon piano m'est nécessaire pour rester avec vous.

Le soleil est presque couché maintenant. Dieu éteint la grande lumière et laisse en guise de veilleuse un petit croissant dans un coin du ciel. Il est temps pour moi de baisser aussi la musique, de jouer pour les paupières, de mettre des fleurs de sons sur des draps de silence, d'envelopper tout le monde, tout doucement, dans une précaution infinie... J'ai fini... Je regarde mon public et, un doigt sur les lèvres, j'implore le silence. Pas de mains qui claquent, surtout pas. Mon corps se recroqueville sur le tabouret... Oui, disparaître plus encore devant ce qui s'est manifesté.

Chapitre 8

Notes repères qui êtes aux cieux...

Par la physique des sons, chaque note génère naturellement d'autres notes, mettant ainsi en évidence une loi : la loi des harmoniques. Si l'on fait par exemple un Do, que l'on appelle *tonale* parce qu'il donne le ton, par résonance vont apparaître principalement les harmoniques suivantes : le Sol, le Do et le Mi. Il y a bien sûr d'autres harmoniques, mais parlons des plus importantes. L'harmonique la plus forte est le Sol, de ce fait, cette note a été appelée la *dominante*. Elle se trouve à la quinte de Do. *Quinte* signifie cinq sons plus loin que la tonale : Do, Ré, Mi, Fa, Sol. Le Mi se trouvant au milieu, entre la tonale et la dominante, est appelé *médiante*. Il est à la tierce de Do. *Tierce* signifie trois sons plus loin que la tonale : Do, Ré, Mi. Le rapport T-D^3, c'est-à-dire Do Sol, *intervalle de quinte*, c'est le rapport magique, sur lequel toutes les musiques du monde s'appuient, prennent forme et sens. Do, Mi,

---

3. Abréviations : T pour tonale, D pour dominante, MG pour main gauche, MD pour main droite.

Sol est appelé l'*accord majeur parfait*. Le rapport T-D donne le cadre nécessaire pour ne pas se perdre dans ce vaste océan qu'est la musique. Mais ce rapport est bien plus que cela. En fait, la tonale donne le sens semblable au nord dans une boussole : surtout « ne pas perdre le nord », voilà ce qui est important dans la vie.

La tonale traduit la notion de verticalité. Les quintes expriment l'horizontalité. Les directions est-ouest peuvent se lire aussi de cette façon : est *ou est*. Cela symbolise celui qui se cherche… Sans tonale, l'enchaînement des quintes peut nous égarer, d'où la célèbre expression de celui qui s'est perdu : « Être complètement à l'ouest. » La tonale, sur un plan plus métaphysique, symbolise le « Je suis » primordial. Nos Soi sont les harmoniques, qui se déclinent à l'infini, de quinte en quinte, sans cesse fluctuants et impermanents du « Je suis » initial, immuable et éternel. Dans ce rapport T-D on trouve le nombre d'or, on trouve le un et la trinité, on trouve Dieu… Il exprime l'essence même du mouvement de la vie, d'où le mot *quintessence*. Dans l'enchaînement des quintes, il y a le nombre 12 qui exprime son cycle complet, il y a la forme de la spirale et l'étonnante quinte de la 666e génération, quasiment semblable en fréquence au son premier, incréé et créateur. Est-ce pour le supplanter ou est-ce par amour que sa fréquence est si proche au point qu'ils se confondent ? Si le sujet vous intéresse, je vous invite à lire le livre *Le Chant sacré des énergies* de Patrick et Maéla Paul.

Dans tous les cas, après avoir joué quelques notes sur le piano, dès que l'on revient aux notes repères, c'est-à-dire la T et la D, tout devient juste et fait sens en musique. Dans la vie, quel est le meilleur des repères pour nous-mêmes ? Soi. Après chaque expérience, le retour à soi offre ce temps de résonance intérieure qui permet à notre raison de sonner. Les deux notes repères expriment notre Soi profond avec son apparente dualité faite de masculin et de féminin, d'ombre et de lumière, de peur et d'amour, de chair et d'esprit. Les notes repères (T-D) sont l'expression du cadre essentiel en lequel l'illimité va pouvoir s'expérimenter. Dans la vie, le cadre c'est soi. L'illimité en nous se traduit par la vastitude de ce que nous sommes. Sur le clavier, l'illimité se trouve dans les autres notes. Celles-ci représentent l'inconnu qui nous entoure et que l'on a tous envie légitimement de découvrir.

Mais il s'avère qu'en général, le musicien débutant n'ose pas jouer toutes ces notes. Il en a peur car il craint les fausses notes. Elles sont tellement semblables aux quiproquos, malentendus, erreurs que l'on retrouve dans l'histoire de chacun d'entre nous. La fausse note jouée réveille la mémoire des fausses notes de sa vie, le geste malheureux, le bisou de trop, la phrase maladroite, des mots blessants, un simple regard, un sourire déplacé… Heureusement qu'il existe ces notes repères sur lesquelles on peut s'appuyer et se retrouver, tout comme il y a notre Soi sur lequel on peut s'appuyer et se retrouver quand on se sent perdu… Une musique, sans l'assise qu'offrent les notes repères, devient informelle, vide de sens et de consistance. Dès que l'assise est là, la musique se structure de facto et raconte quelque chose. Il en va de même pour une personne. Son assise, c'est le Soi. Si elle n'a pas pris contact avec son Soi, c'est le néant existentiel qui crée la souffrance. Il est donc crucial de l'amener à se connecter à cette réalité. Son épanouissement en dépend.

Durant les années 1960 jusque dans les années 1990, la musique contemporaine fut le reflet de cette triste réalité. Le rapport T-D était systématiquement enlevé, l'écriture se voulait moderne assurément. Le résultat, on le connaît aujourd'hui : le public se détourna, ce fut la grande impasse. Heureusement, les compositeurs d'aujourd'hui reviennent à la tonalité, réutilisent avec bonheur le rapport T-D, donnant une musique structurée et structurante, aux harmonies riches et enrichissantes. Sans aucun doute, nous sommes de nouveau sur la bonne voie.

Comme l'apprenti nageur qui se lance dans le grand bain de la piscine fait quelques brasses pour vite revenir s'agripper au bord, l'apprenti musicien ose les notes mais retourne vite à la T ou à la D. Il a peur, se noie dans son jugement tout en jouant, frissonne de tous ses membres. Décidément, il n'y a sur cette Terre que l'être humain qui tremble quand il s'exprime. A-t-on déjà vu un oiseau trembler sur sa branche parce qu'il chante, se cacher entre ses ailes parce qu'il aurait peur de faire une fausse note ? Cela fait sourire à entendre car la culpabilité n'existe pas dans l'univers. Et pourtant... c'est ce qui se passe pour la plupart des gens. Pour ma part, ça ne me fait pas sourire, ça me touche, ça m'attriste même de voir sous mes yeux tant de beauté qui n'ose pas s'exprimer.

Tout cela, nous l'avons vu plus haut, vient de la croyance que la grâce n'est pas pour tous. Que cela ne nous atteigne pas, osons les fausses notes, gaillardement, joyeusement. La fausse note jouée ainsi, avec de la joie, à la fois la sienne et celle des autres qui rient des risques que l'on prend, de nos libertés, répare tout, guérit l'âme, le cœur et le corps... C'est immédiat. Et puis les notes repères donnent le sens, le silence donne le sens, ce que je suis est sens par essence. En réalité, tout fait sens, et ce tout est là pour nous aider à nous transcender. Alors confiance ! L'art de vivre consiste à expérimenter l'immensité qui s'offre avec *délica-resse*, la savourer pleinement et accepter de se laisser surprendre afin d'être traversé par l'instant qui nous offre toujours du neuf. Chaque instant est printemps porteur du perpétuel renouveau qui nous rend printemps nous-mêmes. Jouer avec l'aide des notes repères, c'est tellement simple que nous pouvons en faire profiter tout le monde, proches et famille.

Voici à ce sujet le retour de Viviane qui a suivi un stage : « *Nos amis sont venus chez nous passer un week-end. On leur a proposé de jouer du piano. Ils ne voulaient pas, prétendant qu'ils ne connaissaient rien en musique. On leur a expliqué ce que nous avions découvert au stage, les notes repères, le silence... Piqués par la curiosité, ils se sont mis au piano et ont fait un quatre mains extraordinaire. Ils n'en revenaient pas et nous non plus d'ailleurs.* »

Ou encore, celui de Marie-Françoise : « *Riche de mon expérience d'impro, après le stage, j'ai proposé à mes deux enfants d'improviser avec* moi au piano. Avec Robin, 18 ans, l'impro fut à l'image de notre relation : pas beaucoup d'écoute au début, ni de la part de l'un ni de la part de l'autre, puis peu à peu, grâce aux notes repères, la mayonnaise a pris et ce fut un grand plaisir qui se termina dans un éclat de joie ! Avec Guillemot, 8 ans, déjà musicien dans l'âme et les oreilles, violoniste depuis deux ans, nous avons eu une longue conversation au piano, beaucoup d'émotion pour lui, jusqu'aux larmes, puis retour à la paix. Merci de m'avoir permis ces grands moments avec mes enfants, qui seront sûrement suivis de beaucoup d'autres… »

Pour finir, ce témoignage de Gabriella, professeur de piano à Huy en Belgique : « *Cher Marc, décompression après le stage, euphorie du lendemain, je te laisse imaginer le tableau familial : La ronde des désirs de ton dernier CD envahit toute la maison… Les enfants jouent avec des balles de tennis… dans le piano ! On laisse traîner quelques règles ou crayons sur les cordes pour obtenir les prémices des variacordes. Je me surprends à vocaliser en style arabo-andalou… Les enfants dansent… Et surtout plus aucune phrase n'est dite ou ne résonne de la même manière. Mais mon étonnement n'est pas fini ! Je reprends les cours ce mardi et d'agréables surprises surviennent, à commencer par ce jeune ado qui me dit tout gêné : "J'ai oublié mes partitions !" et m'entend répondre : "Tant mieux." J'applique aussitôt ton exercice pour faire des fausses notes. La quinte pulsation à la main gauche et le voyage de la main droite ! Je n'ai pas beaucoup de mérite : pas de doigts frêles ou hésitants comme à Bruxelles, juste un peu d'empressement et simplement le regard qui cherche et trouve la confiance… Et je le vois sourire comme jamais avant ! Peu après, une adolescente à la fois studieuse et consciencieuse, mais très timide, me rejoue la sombre élégie de Rachmaninov et je ne sais comment, cette fois, je trouve enfin les mots pour l'aider à décoller ! La musique est là, vibrante et mouvementée, le piano sonne comme jamais avant ! Marie s'ouvre enfin… Depuis septembre, j'attendais ce moment et, en quelques minutes, on y était… Marc, aurai-je assez de mercis à t'adresser ? Tu es un magicien ou tout simplement un… amoureux, comme tu aimes si souvent le dire. Mais comment peux-tu transmettre aussi vite cette flamme ?* »

Chapitre 9

Vitriolum

« *Une petite flamme brille dans ton cœur, mon enfant,*
depuis l'heure de ta naissance.
Cette petite flamme de jour en jour grandit, mon enfant,
de jour en jour grandira, grandira.
Cette flamme dans ton cœur a le même éclat,
cette lumière a la même couleur
que l'or des icônes, l'or des icônes.
C'est l'or des rois, des rois.
C'est la lumière d'avant les commencements,
le feu d'avant les commencements.
Une petite flamme brille dans ton cœur, mon enfant,
depuis la nuit des temps. »

BERCEUSE TRADITIONNELLE FINLANDAISE

Nous passons notre vie à chercher un résultat alors que nous sommes le résultat. Nous sommes déjà transmutés mais nous ne le savons pas. Nous sommes tous de l'or pur, mais nous l'avons oublié. Nous nous sommes tant et tant salis les uns les autres avec nos regards, que nous avons recouvert cette réalité jusqu'à ne plus la voir.

D'où vient ce manque d'amour et de tendresse ? Depuis des millénaires, nous avons pris pour habitude de punir nos maladresses. Depuis des millénaires, nous mettons des blessures sur nos blessures. Culpabiliser, condamner, ne permet pas d'enclencher le processus de transformation menant à la guérison. Voilà pourquoi l'humanité n'évolue pas. Punir entretient nos démons, les renforce même. Cela vient sans doute de notre perception judéo-chrétienne de la Genèse, perception qui a été et est encore dans une moindre mesure l'assise, pour beaucoup d'êtres humains, de la compréhension de la création. Ève a semble-t-il fauté en croquant le fruit de la connaissance, la punition divine ne s'est pas faite attendre. C'est le bannissement sans appel du jardin d'Éden. Sans le vouloir, Ève et Adam entraînent avec eux dans leur chute toute l'humanité. Depuis, nous portons tous en nous la faute originelle. De facto, nous sommes interdits d'accès au pied du trône de la gloire de Dieu. De facto, nous sommes tous pécheurs… Quant au mystère de la Genèse, la réponse de l'ange dans les *Dialogues* est on ne peut plus claire et tranchante : « *Ne cherche pas à savoir ! Sers ! Alors tu vas connaître et non pas savoir. D'abord, il y a eu la création. Après l'ont expliquée les incapables. L'artiste crée — les vers rongeurs l'expliquent.* »

Et si cette déchéance n'était pas une punition ? En effet, si Ève n'avait pas commis la « fausse note » de goûter au fruit défendu, il n'y aurait jamais eu d'histoire pour l'Homme. La faute originelle a engendré une destinée pour l'humanité, a donné vie à son incroyable odyssée. Elle a généré la nécessité de la réalisation, l'idée du sens et de la conscience pour chacun d'entre nous. En nous expulsant de l'Éden, Dieu nous a libérés et nous a rendus responsables de cette liberté. Quel cadeau… La chute n'est pas Sa punition, elle est Son premier enseignement divin qui nous dit que le plus important n'est pas le bonheur éternel dans la vie en soi, mais le chemin à parcourir. La chute nous oblige à prendre conscience de la nécessité de la transcendance et nous donne la mesure de sa valeur incommensurable. Toute notre dignité, notre grandeur, se situent là, dans la quête de celle-ci, avec nos innombrables failles et maladresses. Quand le chemin est accompli, au moment de notre mort, ce sont les grandes retrouvailles avec Lui. Vient alors le temps des noces joyeuses...

Il faut savoir qu'étymologiquement, le mot *péché* ne signifie pas *faute*, mais *manquer la cible*. Et il nous arrive à tous, à un moment ou un autre, de rater cette cible. Sommes-nous pour autant tous fautifs ? Certainement pas. Nous sommes semblables à l'archer qui vise le centre de la cible, semblables au violoniste qui ajuste sa note, semblables au photographe qui effectue sa mise au point avant d'appuyer sur le déclencheur de son appareil. Faire le point, ajuster, affiner, viser la cible, c'est ce que la vie nous demande à chaque instant. Et il est tout à fait normal de se tromper parfois, de viser à côté, de jouer une fausse note, d'être dans le flou, l'incertain... Si nous devons être coupables, alors que cela soit dans le sens spinozien du terme. Pour le philosophe, la culpabilité est ce sentiment qui nous permet de prendre conscience de qui nous sommes à travers nos actes. Du coup, la culpabilité devient précieuse, car elle nous invite à nous responsabiliser. D'ailleurs, de quoi serions-nous responsables si nous n'avions pas à assumer la responsabilité de nos actes ? Et en ce qui concerne les actes, il nous faut nous juger les uns les autres autrement, en invitant celle ou celui qui a été maladroit à en prendre conscience pour se transformer. Mais ce qui va aider le plus, c'est d'apprendre à se regarder soi-même avec beaucoup de douceur et de bienveillance. « Aide-toi, et le ciel t'aidera » est la maxime de la transformation. Pour illustrer ces propos, laissez-moi vous conter cette étonnante histoire.

Il y a quelques jours de cela, je reçois ce courriel : « *Salam Marc, j'espère que mon mail te trouvera sous les plus beaux auspices et que les chemins et les routes accueillent toujours avec autant d'amour ta Caravane amoureuse. Où es-tu en ce moment ? J'habite La Rochelle depuis quatre ans et depuis quelques années je pratique la percussion corporelle. Je suis en train de monter un spectacle autour du corps et de la poésie. Il s'appelle* Slam du monde. *J'aimerais beaucoup, si cela est possible, parler avec toi de ton expérience, car je suis tenté depuis un moment de prendre ton exemple. J'aimerais te poser plein de questions concrètes dont les réponses pourraient m'être utiles pour sa réalisation. Saly A. »*

Saly… Incroyable. Après trente-deux années de silence, il ressurgit comme ça d'un coup dans ma vie. Ce type était interne avec moi au lycée Grand Air d'Arcachon. Nous avions 17 ans. À l'époque, c'était un p'tit mec hyper nerveux et susceptible, il n'arrêtait pas de se battre et il n'y avait pas une semaine au lycée sans qu'un garçon se retrouve à l'infirmerie suite à ses colères. Le bac en poche, chacun a suivi sa route, et depuis, plus de nouvelles. Et là, des années plus tard, il m'apprend qu'il vient de monter une association qui s'appelle Les p'tites frappes. Piqué par la curiosité, je suis allé voir son site et je lis sur la page d'accueil : *« Les p'tites frappes vous propose de découvrir une nouvelle manière de pratiquer la musique en utilisant son corps comme seul support. »* La vie est incroyable. Ce gars, il se battait tout le temps et voilà ce qu'il fait maintenant. Quel clin d'œil fabuleux ! Suite à son message, je l'ai appelé. Inévitablement nous avons parlé du passé et évoqué ses bagarres incessantes.

« Tu sais, Marc, je suis né à Constantine en 1958, c'est-à-dire pendant la guerre. Mes parents habitaient le quartier populaire, dans ces maisons traditionnelles, si particulières. Je suis un enfant de la Kasbah. J'étais le septième enfant, et vu les circonstances, mes parents m'ont confié à des missionnaires américains (protestants) qui se sont occupés de mon éducation. Bien que j'avais gardé un lien avec mes parents, je passais la majorité de mon temps dans ce foyer avec une trentaine de garçons dans mon cas. À l'âge de 14 ans, j'ai dû regagner le foyer familial. Le gouvernement de l'époque avait jugé incongrue la présence d'Américains sur un sol "socialiste". Ils ont été mis à la porte et tous leurs biens ont été réquisitionnés. Bien entendu, tout le monde est rentré dans sa famille, bien que certains se trouvaient dans un dénuement et une pauvreté incroyables… J'ai senti cela comme une grande injustice vis-à-vis de ma "famille adoptive". Peut-être est venue de là la naissance d'une aversion envers tout ce qui est injuste… Ces missionnaires ont été de vrais seconds parents. Bien que l'on assistait à la messe, ils ont toujours respecté la religion d'origine de chaque pensionnaire. Et chacun, en grandissant, pouvait s'adonner à la pratique de l'islam (prières, ramadan, etc.). J'ai grandi dans un milieu de vraie tolérance et de réelle fraternité. Les apparences semblent dures, mais j'ai tout de même passé une enfance extrêmement heureuse et riche. À 14 ans, j'ai dû rejoindre ma famille et cela ne fut pas très simple. Bien qu'entouré d'amour, surtout maternel, mon malaise grandissait au fur et à mesure que je prenais de la maturité et de l'âge. Dans ma tête, j'étais mi-occidental, mi-oriental. Les copains du quartier me chambraient tout le temps. Pour eux, j'étais le "Roumi" (l'Occidental), la tapette qui lisait des bouquins et qui était toujours bien sapée. Mes habits qui venaient tout droit des États-Unis détonnaient quelque peu avec la pauvreté du quartier. J'étais tout le temps obligé de me battre. C'était une question de survie. Il ne fallait jamais baisser la garde…

— Je ne savais pas tout ça. Je comprends mieux maintenant ta susceptibilité, tes peurs, tes colères.

— Tu sais, au fond de moi, je sentais que j'avais réellement du recul par rapport aux deux cultures puisque j'appartenais aux deux. Par exemple, j'acceptais mal qu'au nom de l'islam, on fasse passer plein de lois liberticides (le code de la famille, par exemple). J'étouffais littéralement dans un pays qui se disait socialiste, mais où je devinais les injustices à chaque coin de rue… La providence prit la forme d'un frère aîné qui, pour les vacances, rentra de France après une dizaine d'années d'exil. Avant de rentrer, il me proposa de venir continuer mes études en France. Sa proposition ne tomba pas dans l'oreille d'un sourd. L'été d'après, je débarquais chez lui, au cap Ferret, dans le bassin d'Arcachon. Un endroit magnifique, presque paradisiaque, que tu connais bien, où j'ai fini mes études secondaires avant de me retrouver plus tard à Bordeaux, muni d'un bac D. Voilà, Marc, mon histoire.

— Incroyable…

— Un autre truc que tu sais pas. Tout le monde, au lycée, m'appelait Saly, mais en fait mon prénom c'est Athman, qui veut dire en sanscrit "summum de la sagesse" ou un truc dans le genre (rires)… »

Saly a fait son chemin. Quelle belle réussite qui me fait penser à cette citation de Frank Buchman, reprise par Oscar Wilde : « *Chaque saint a un passé, chaque pécheur a un avenir.* » Oui, pour que tout homme ait un devenir, cessons de le juger sur ses apparences et sur ses actes. Tant de choses nous échappent. Portons-lui une espérance sans attente, permettant transcendance et sublimation, plutôt que la « néantisation » qui engendre sentiment de vengeance, maladie, souffrance et mort.

Oui, quoi qu'il arrive, accueille et crois en chacun. À commencer par toi-même. Saly, malgré épreuves et difficultés, a cru en lui-même, c'est ce qui l'a sauvé. Le message de la vie est celui-ci : recommence sans cesse jusqu'à ce que tu y arrives. Le bébé incarne parfaitement cela. Il ne cesse d'être maladroit, de tomber, de se cogner, de se pincer, et chaque fois il recommence parce que la vie le porte. Les jeunes gens eux aussi sont maladroits par manque de discernement, mais ce qui les sauve, c'est que la vie les porte eux aussi. La vieillesse, c'est quand nous portons la vie jusqu'à ce que celle-ci devienne un fardeau. Un acte de mort, c'est quand nous n'avons plus envie de recommencer, qu'à la moindre contrariété, nous disons non et laissons tout tomber, désabusés, dégoûtés. Mais il y a parfois des non qui peuvent être des oui… À la seule condition que ce oui soit un oui à soi. Le bébé, quant à lui, n'est jamais dégoûté. En même temps qu'il pleure de sa chute, il dit oui. Il se frotte la tête, se relève et marche en portant le sourire de l'innocence la plus absolue. Il ne doute pas un seul instant qu'il y arrivera. Arriver à quoi ? À grandir et à se transformer.

La vie n'est que cela, une suite de transformations perpétuelles. Celle-ci nous demande sans cesse de nous dépasser. Le cadeau est là, dans les victoires de notre Soi profond. Il nous est demandé à tous d'être alchimistes : « *Visite ta terre intérieure, en rectifiant, tu trouveras la pierre cachée, véritable médecine*[4]... » La véritable médecine est sans aucun doute là, dans ces mots qui nous poussent au retour à soi, nous exhortent au rectificando salvateur, essentiel si l'on veut atteindre la justesse qui est et sera toujours incertaine par essence. Dans la vie, nous l'avons vu largement précédemment, revenir à soi jusqu'au silence après toute expérience est vital. Outre le fait que ces retours permettent presque toujours de saisir le sens de ce que nous faisons ou ne faisons pas, ces retours, je le répète, permettent d'entrer en contact avec cette « lumière d'avant le commencement ». Alors, par un effet d'alchimie spirituelle, coule dans nos veines un autre sang, le sang primordial, un sang royal, qui n'est pas celui de l'homme soumis à ses peurs et à ses pulsions, mais celui de l'homme accompli, réalisé. Sang royal, *sangre real*, Saint-Graal, Saint-Grès désignent une seule et même chose : le cœur de l'homme, calice suprême en lequel se loge la pierre cachée appelée pierre philosophale. Cette pierre a le pouvoir de transmuter tous métaux vils en or pur. Quels sont ces métaux vils sinon nos colères, jalousies, projections et rancœurs ? Pour trouver la pierre, le rectificando ne suffit pas ; il faut aussi être bienveillant avec soi et accueillir avec tendresse ses imperfections.

Bernard Montaud, dans *Il était une Foi...*, nous le dit magnifiquement : « *Après m'être longtemps égaré dans les livres, je me suis soudain passionné, grâce à Gitta, pour ma propre bêtise. Et j'ai alors découvert le plus grand livre qui soit, en tous les cas le plus passionnant. J'ai appris peu à peu qu'il n'y a rien de plus intelligent, rien de plus drôle que ma propre bêtise. Et que ce gentil bébête en moi, c'est vraiment la source de toute connaissance (...). Entendez-le bien : je parle depuis le sourire de tendresse que j'ai appris à porter parfois à ma bêtise. Et c'est*

---

4. « *Visita Interiora Terrae Rectificando Invenies Occultum Lapidem Veram Medicinam* », acrostiche latin de Basile Valentin, formant VITRIOLUM.

là mon plus grand exploit spirituel, la seule chose dont je sois fier, car il n'y a rien d'autre. » Rire de soi avec bienveillance a un effet « décapant ». Ce rire intérieur, parce qu'il est tendre et compatissant, agit comme une sorte de vitriol sur l'ego. Il le brûle jusqu'à la transparence, le met à nu, lui permettant d'atteindre l'humilité suprême qui est celle de mourir à lui-même. C'est la grande libération, celle du grand accueil de ce qui est et de ce qui vient, celle des retrouvailles avec ce que nous sommes et serons éternellement : lumière dans la Lumière. Et c'est dans l'*expir* que l'archer lâche sa flèche, que le photographe appuie sur le déclencheur de son appareil, que le violoniste joue sa note… Tout l'important se trouve là, dans cet abandon. Le résultat compte peu, car par essence il est toujours la perfection approchée portant en elle la douce saveur de l'inachevé, parfum d'éternité.

Chapitre 10

Dualité et disharmonie

Le deux unifié génère la trinité.

Quand nous nous intéressons à l'histoire de l'humanité, nous constatons indéniablement que par rapport aux temps jadis, la qualité de vie en général des personnes s'est grandement améliorée; et pourtant, malgré ce constat plus que positif, nous ne pouvons nous enorgueillir. Le bilan actuel est pour le moins catastrophique. Quel monde! Toujours dans la dualité, nourrissant bien trop souvent le conflit, séparant, cloisonnant et divisant dans le but de dominer une personne, un territoire, un pays, un continent ou la Terre entière… Ce ne sont que des bouts de rien, insignifiants et dérisoires face à la vastitude qui se livre et n'attend qu'une seule chose: le réceptacle qui soit en mesure de la recevoir. Il est dans la destinée de l'humanité d'absorber entièrement cette vastitude afin d'enfanter à son tour ce que nul ne peut encore imaginer aujourd'hui. Mais voilà, l'humanité ne mesure sans doute pas encore son destin puisqu'elle retarde sa marche vers son accomplissement. À moins que ce retard ne fasse partie du processus…

En attendant, au lieu d'avancer en confiance, l'humanité s'est inventé des ténèbres hostiles peuplées de monstres maléfiques et a fini par croire à ces chimères. Peu à peu, toute cette «diablerie» s'est incarnée sur Terre. Aujourd'hui l'ennemi est partout. Méfiance est le mot d'ordre. Alors que tout était juste, l'humanité s'est inventé des fausses notes qu'elle a plaisir à condamner et punir. En musique, il existe un accord qui fut jugé en son temps satanique par l'Église, l'accord triton. Liszt l'a largement utilisé dans son œuvre pour piano... Un seul mot vient alors sur toutes les lèvres de l'époque: transgression. Les règles sont strictes, celle ou celui qui les transgresse est de facto le diable. D'ailleurs, au Moyen Âge, la musique était diablerie. Au XIXe siècle, l'accordéon était comparé au soufflet du diable... Quoi qu'il en soit, l'homme, en se créant ténèbres et enfer, s'est imaginé dans le même temps un paradis fait d'amour et de lumière vers lequel tout son être se tend. Mais le ciel est loin, l'empyrée inaccessible. Le salut n'est pas gagné d'office. Il se mérite. De grands systèmes générant de grands pouvoirs vont se bâtir sur cette croyance. Et pourtant... tout comme le jour et les énergies de lumière servent la vie, la nuit et les forces obscures la servent aussi. Ils sont merveilleusement complémentaires, l'un ne peut exister sans l'autre. Bien et mal ne s'opposent pas mais s'épousent pour nous mener vers plus de conscience. Anges et démons ne s'affrontent pas mais collaborent au même rêve: le rêve de Dieu.

L'homme essaie de comprendre cela et c'est tout à son honneur. Seulement, guidé par sa vision dualiste du monde, il se trompe quant à la façon d'aborder le mystère qui le compose et l'entoure. Au lieu de le regarder avec son cœur, la grande question qui le taraude et qui va générer moult conflits est: Dieu est-il la seule réponse au grand mystère du vivant? Beaucoup, lassés par la tyrannie religieuse, pensent et disent que non. Pendant des siècles, des hommes vont essayer de séparer Dieu de toute la création et par là même de confisquer le sacré. Du coup celui-ci va changer de camp. De l'Église, il va à la science, à la mère-patrie, à l'État laïc, à l'argent… Le sacré se déplace, mais le mystère demeure toujours. Pour les non-croyants, Dieu n'étant pas la réponse, autant le supprimer, car sa présence nuit à l'avènement de la vision rationnelle du monde. Elle met en péril le pouvoir de la pensée logique et lucide. Seule la raison, rien que la raison doit trouver la réponse au grand pourquoi de la vie. Alors sus à Dieu ! De nombreux philosophes et sociologues vont s'y employer : Nietzsche, Sartre, Freud, Heidegger… Remettre en question l'ordre aristocratique ancien, détruire les pouvoirs inhérents aux vieilles croyances sont leurs objectifs. Mais au fond rien ne change vraiment. Des pouvoirs nouveaux avec des mérites nouveaux apparaissent. Ce qui se défait se refait autrement, voilà tout. En musique, cela s'appelle de la *transposition*. La raison ne veut pas de Dieu pour réponse, seul le pourquoi l'intéresse…

Ce que ces agnostiques de tout bord n'ont pas compris, c'est que Dieu est à la fois la réponse et la question. Il est le grand *parce que* et le grand *pourquoi* de toutes choses. En réalité, Dieu n'est pas le problème. Le fond du problème, c'est l'homme enfermé dans la dualité. Comme nous l'avons vu précédemment, au lieu de regarder le mystère du vivant avec son cœur, l'homme l'attrape avec violence, l'emprisonne et l'enserre pour l'étudier. En le disséquant, il a l'impression de le dominer, en réalité il ne domine rien du tout. En nommant ce qu'il a disséqué, il a le sentiment de tout comprendre, en réalité il n'a rien compris du tout. Enfermé dans sa rationalité, il ne peut appréhender qu'une infime partie du vivant. En contrôlant, modifiant, séparant, il triture sans cesse le vivant en tous sens. En agissant ainsi, il finit par tout détruire. Tout se meurt, plantes, animaux, insectes, humains… Et debout, dressé fièrement sur des montagnes de cadavres, l'homme rit de sa folie, totalement inconscient de sa propre inconscience. En tuant Dieu et en jouant avec les démons que sa déraison a inventés, l'homme s'est sans doute cru plus grand, plus fort, plus intelligent. Quelle suprême bêtise, car en vérité tout cela n'est que de l'orgueil pur.

Le deux conflictuel composé du 1 + 1 = 1, (moi + toi = moi) a été inventé par ceux qui ne savaient partager et se satisfaire du simple. Peu à peu, cette énergie agressive s'est immiscée partout afin de renforcer les pouvoirs de ces êtres plus belliqueux que les autres. Le monde s'est construit sous leur volonté, en mettant en avant le doute qui sépare plutôt que la foi qui rassemble. La dualité impliqua la comparaison et donna une valeur aux choses, elle engendra la notion de pur et d'impur qui s'appliqua à la fois à la matière, au spirituel et aux races. Elle sépara le féminin et le masculin alors qu'ils sont irrémédiablement un. Elle créa la discrimination et la balance sur laquelle tout se jauge, se juge et se marchande… Cette dualité inventa les riches, les maîtres, les élus. La dualité conflictuelle est mère de toutes les dissonances sur cette Terre, mère de toute misère, car dans cette réalité, 1 + 1 n'est pas égal à 1 mais à 0. Le deux composé de deux énergies qui s'affrontent jusqu'à s'annihiler conduit à l'enfer.

Pour en sortir, il nous faut considérer la dualité bien différemment, comme le deux composé de deux énergies qui s'accueillent, s'accordent et collaborent, et qui donnera 1 + 1 = 3. Le deux unifié génère la trinité. Le deux unifié porte la joie… *Le deux unifié, c'est l'amour.* Il s'avère même que 1 + 1 peut être égal à 1000. Les énergies qui s'additionnent dans l'amour donnent des résultats de type exponentiel. Ainsi le révèle l'Évangile de saint Matthieu à travers la parabole de la multiplication des pains et des poissons. Le caractère exponentiel est donné par le lien. Ce n'est plus le toi ou le moi qui prime, mais le *et* qui relie, le *et* qui rassemble les perles humaines pour réaliser un collier d'humanité, le plus beau bijou qui soit, multicolore, lumineux et chantant.

Il est important dans la vie de faire lien avec toute chose. Sans lien, rien ne peut se faire. Sans lien, rien ne vit. Le fait de voir les choses ainsi nous permet de défendre l'idée première qu'il n'y a pas de gens «plus» ou «moins» et que c'est tous ensemble, avec nos merveilleuses différences, que nous allons sur le chemin de la vie vers l'inéluctable amour universel auquel nous aspirons tous. Cette prise de conscience doit nous amener à œuvrer à un monde nouveau qui honorera davantage sa terre, cessera de l'exploiter sans vergogne et ne sera plus dans l'appropriation, que ce soit des biens, des personnes ou des territoires. Le temps de l'esclavage est fini, celui d'une humanité que l'on épuise et que l'on achète pour obtenir sa soumission avec de l'illusion et du virtuel, révolu. Notre propension à exploiter la planète pour servir d'obscurs intérêts au détriment des écosystèmes et des hommes reste une fausse note majeure. Il y a aujourd'hui tellement d'endroits détruits et de gens empoisonnés par les pesticides que des prises de conscience se font. La résolution harmonique de cette triste dissonance est proche. Voilà pourquoi le monde de demain aura une attitude respectueuse envers tout ce qui est vivant. Les animaux ne seront plus ni massacrés ni maltraités. Il n'y aura plus de fermes d'élevage intensif. Les sols ne seront plus profanés par une agrochimie dévastatrice. L'eau, trésor des trésors, ne sera plus salie. L'air sera enfin respirable partout. L'impasse dans laquelle nous nous trouvons nous oblige à reconsidérer les choses, particulièrement dans le domaine des soins. Ainsi, dans ce monde nouveau, la médecine sera globale, unifiant les différentes approches, de la phytothérapie à l'antibiotique, de la manipulation énergétique à la chirurgie au laser, et aura pour vocation d'enseigner à chacun le pouvoir de s'autoguérir.

Dans ce monde, l'homme et la femme seront ensemble, sans emprise aucune, libres d'aimer l'immense en toute complicité. Ce sera l'avènement de l'être humain debout sur la voie du grand partage. L'on y verra la naissance d'un nouveau regard, non plus jugeant, jaloux, inquisiteur, répressif, mais fondé sur la confiance et la bienveillance. Après tous ces millénaires, il est clair que condamnation et punition ne changent pas l'homme, seules la compassion et l'amour permettent le miracle de la transformation. *«C'est notre regard qui enferme souvent les autres dans leurs plus étroites appartenances, et c'est notre regard aussi qui peut les libérer»*, nous dit Amin Maalouf. Le milieu du XXe siècle a connu l'indépendance des pays, ce nouveau monde permettra la décolonisation des esprits. Ainsi, le système éducatif sera soucieux d'offrir à chacun un savoir suscitant l'émergence du soi et non un formatage encombrant les cerveaux et niant les porteurs de grâce que nous sommes tous. La science, sensible à cette grâce, ne brisera plus l'atome ou les gènes. Énergie, productivité et puissance ne résident pas nécessairement dans la modification des organismes jusqu'à la fission, mais dans le Tout magnifié. Là sont les fondements mêmes de la nouvelle alchimie. Il n'y a rien de mauvais et d'impur. Tout est important et a son rôle à jouer.

En mesurant le sens profond de ces mots, demain, il n'y aura plus de déchet, de meilleur, de plus ou de moins. Le sacré sera libre, chacun pouvant, à sa façon, se relier en silence au grand mystère. S'il ne devait y avoir qu'une seule prière, ce serait celle de l'émerveillement qui conduit à la gratitude. Le seul temple qui convienne parfaitement au sacré est un cœur aimant. Tous les monastères devraient être invisibles, logés là, dans l'intime de notre intime. Demain, *diviser pour régner* fera place à *ensemble pour partager*. Demain, plus de dualité à travers des religions et des partis politiques qui s'opposent. Plus de chefs religieux, de rois ni de présidents, mais un groupe de «sages» représentant tous les continents s'accordant à créer la civilisation de l'amour avec l'humanité entière. Parce que tout nous est donné à profusion, nulles confiscations ni dépendances ne seront instituées, qu'elles soient alimentaires, médicales, technologiques, religieuses ou autres. Ce nouveau monde ne sera que partage basé sur le respect et l'estime.

Ce futur ne connaîtra pas la pornographie, la manipulation par la peur, les «bidonnages» médiatiques et l'abrutissement des masses par certains programmes de télévision pratiquant un véritable «génocide» des consciences. Pierre Jourde évoque ce triste état de fait: «*Les médias ont su donner des dimensions monstrueuses à l'universel désir de stupidité qui sommeille même au fond de l'intellectuel le plus élitiste. Ce phénomène est capable de détruire une société, de rendre dérisoire tout effort politique. (...) Lorsqu'on les attaque sur l'ineptie de leurs programmes, les marchands de vulgarité répliquent en général deux choses : primo, on ne donne au public que ce qu'il demande ; secundo, ceux qui les critiquent sont des élitistes incapables d'admettre le simple besoin de divertissement. Il n'est pas nécessairement élitiste de réclamer juste un peu moins d'ineptie. Il y a de vrais spectacles populaires de bonne qualité. Le public demande qu'on le conditionne à demander. On a presque abandonné l'idée d'un accès progressif à la culture par le spectacle populaire. Victor Hugo, Charlie Chaplin, Molière, René Clair, Jacques Prévert, Jean Vilar, Gérard Philipe étaient de grands artistes, et ils étaient populaires. Ils parvenaient à faire réfléchir et à divertir. L'industrie médiatique ne se fatigue pas : elle va au plus bas. Chacun a le droit de se détendre devant un spectacle facile. Mais, au point où en sont arrivées les émissions dites de "divertissement", il ne s'agit plus d'une simple distraction. Ces images, ces mots plient l'esprit à certaines formes de représentation, légitiment celles-ci, l'habituent à croire qu'il est normal de parler, penser, agir de cette manière. Laideur, agressivité, voyeurisme, narcissisme, vulgarité, inculture, stupidité invitent le spectateur à se complaire dans une image infantilisée et dégradée de lui-même, sans ambition de sortir de soi, de sa personne, de son milieu, de son groupe, de ses "choix". Les producteurs de téléréalité — Loft Story, Koh-Lanta, L'île de la tentation —, les dirigeants des chaînes privées ne sont pas toujours ou pas seulement des imbéciles. Ce sont aussi des malfaiteurs. On admet qu'une nourriture ou qu'un air viciés puissent être néfastes au corps. Il y a des représentations qui polluent l'esprit. »*

Si l'on veut que cette humanité sorte de la dualité et aille enfin vers la paix, il est vital que les médias s'engagent à la rendre amoureuse d'elle-même en montrant sa beauté. Le divertissement gras et la démolition de l'homme par des images de plus en plus obscènes et violentes ne sont plus d'actualité. La télévision se doit de mettre à l'honneur l'art sous toutes ses formes et les actions positives qui se font à travers le monde, réalisées en toute simplicité par des millions de personnes porteuses de rêves et d'espérance. Loin d'être une utopie, les rêves des hommes sont une étape qui nous porte vers ce à quoi nous aspirons tous : se sentir en harmonie avec la vie. Et la télévision se doit de montrer cela. Elle doit être au service de ce beau, ce grand, ce noble qui se construit, s'élabore jour après jour, invitant le spectateur à être et non à avoir, non plus en le victimisant mais en le responsabilisant, en l'impliquant dans ce qui se passe. La télévision se doit d'être l'outil premier de mise en réseau et de conscientisation.

Tous ceux qui ne croient pas en ces mots, qui ne croient pas au caractère sacré de toute chose, qui pensent que l'homme ne changera jamais, prétendant que nous allons manquer de tout parce que nous sommes trop nombreux, cautionnent la haine de l'autre et nourrissent désespérance et tristesse qui règnent dans nos rues. Les individus n'osent plus se regarder, le sourire laisse place à la méfiance et à l'indifférence. Là où l'amour disparaît, même les terres les plus fertiles finissent par générer misère et famine... Exagération ? Chaque donnée prise isolément ne montre rien de dramatique en soi, cependant, ajoutées les unes aux autres, elles produisent un effet cocktail dévastateur. L'addition donne un résultat à caractère exponentiel que l'état du monde révèle de manière criante... Il faut être soit complètement fou et délirant, soit totalement inconscient pour ne pas voir cela.

Mais le temps du mépris, du cynisme et de l'arrogance est bientôt fini... Les fausses notes du passé ont du bon, ça bouge enfin vers la haute résolution harmonique. Mais pourquoi toujours attendre l'extrême limite pour réagir ? Pour que notre monde change radicalement, nous devons être convaincus que tous les êtres portent en eux les germes de la haute conscience. Le premier droit que l'on doit à tout être humain est de lui reconnaître cela, le premier devoir de tout un chacun est de servir cette conviction profonde. En pensant ainsi, on s'extrait du triangle infernal persécuteur-victime-sauveur, on rend à l'homme ce qui lui appartient fondamentalement : sa dignité. On lui reconnaît le droit à la maladresse et celui de se dépasser. Le deux unifié générant la trinité est un saut quantique qui nous affranchit des stratégies archaïques de l'ego, nous libérant de facto de la dualité, de tout asservissement et de toute culpabilité. L'arme de destruction massive, c'est cela : la culpabilité. Il y a eu trop de vies gâchées à cause de celle-ci, révélant simplement un manque de foi en soi. Là est la racine de tout mal.

À l'heure où le royaume des exclus s'agrandit de jour en jour, nous l'avons vu plus haut, ici et là émerge une autre conscience d'éveil et d'amour proposant de nouveaux paradigmes. Afin d'éviter des affrontements d'envergure provoqués par la paupérisation croissante, nous n'avons pas d'autre choix maintenant que de les mettre en pratique ensemble. Contrairement à ce que l'on pourrait croire, ces nouveaux paradigmes ne nous conduisent pas à la gratuité des choses et des biens. Il n'y a rien de gratuit dans la vie. Dans la nature, tout est échange et arrangement, collaboration et partenariat. Dans tout ce que l'on fait, il y a toujours un intérêt, mais, là est la question : où placer son fonds de commerce ? Dans l'éveil de l'autre, le souci de son émergence ? Ou dans la volonté de le dominer, l'écraser, le spolier ?

Il s'avère qu'aujourd'hui l'opinion publique est très sensible aux détresses de ce monde. L'humanitaire et le caritatif prennent une place sans précédent dans l'histoire, au sein même de la société. Les associations qui œuvrent en faveur de la haute conscience sont de plus en plus nombreuses. Elles se multiplient, atteignent en 2010 le chiffre inédit et magnifique d'un demi-million de structures de par le monde… C'est une force nouvelle, un nouveau souffle qui nous permet d'espérer et d'être en joie… Le temps est venu de s'engager sur le terrain, d'agir concrètement, de devenir à son tour un porteur de vie. Cela dit, à travers les actions de ces nouvelles structures, là encore des fausses notes se font entendre. Des fêtes de l'amour où l'on s'alcoolise et où l'on fume, des festivals sur la non-violence avec de la musique agressive et une sono qui déchire les tympans, des festivals écolos avec de la techno pendant 36 heures *non-stop*, des réunions altermondialistes durant lesquelles on tient des propos incertains et belliqueux, nourrissant rancœurs et colères, des salons sur la spiritualité où derrière encens et mandalas se cache un *business* dégoulinant, des congrès sur la décroissance avec des tables rondes durant lesquelles certains intervenants englués dans leur mental et dans leur ego consomment 10 planètes en parlant… Tout cela ne veut rien dire… Où est l'amour dans tout ça ? Où sont bienveillance et respect de soi et des autres ? Comment peut-on être crédible dans ces conditions-là ?

Même si ces valeurs sont écrites sur calicots, encarts et grandes affiches, tout cela n'est pas encore porteur du nouveau et reste englué dans les habitudes archaïques de l'ancien monde. Pire, lorsqu'on agit ainsi, il est entretenu, renforcé même. L'espoir retombe alors comme un soufflé et l'on se sent déçu. Afin d'évoluer en humanité ensemble, il faut arriver à nous déprogrammer, à lâcher notre soif de pouvoir, à sortir du contrôle, de la revendication acide, de la colère, de cette dualité éternellement sous-jacente. La fête n'est pas dans la musique forte et les effets de son et lumière, dans le fait de boire et de fumer, dans l'exubérance et le bruit… La haute conscience ne consiste pas à s'asseoir en lotus comme un maître yogi dans le parfum sucré d'un bâton d'encens. Le monde de demain ne s'exprime pas dans la marginalisation, dans le fait de dénoncer, de démolir. Ce monde bienveillant qui se prépare maintenant ne doit pas se construire dans le dénigrement, la condamnation, la peur et la violence. L'ancien monde a été bâti principalement sur ces valeurs. Le nouveau monde doit s'ériger dans une transparence et une bienveillance complètes, dans une foi inébranlable en la vie et une confiance inconditionnelle en l'être humain. Alors seulement la grande mutation se fera jusqu'au bout. Celle-ci se situe dans une écoute fine de ce qui vibre dans ce monde, dans la respiration d'un sourire, dans un haut idéal qui s'épanouit à travers une parole porteuse de silence et de partage, dans une étreinte grâce à laquelle chacun se sent accueilli, dans un regard qui porte une douce exigence… Elle est dans le fait de s'aimer plus encore avec compassion et de bâtir dans son cœur cette tendresse de tous les instants, avec soi et avec autrui… La clé qui mène au grand changement est irrémédiablement là. Sans aucun doute, la seule vraie révolution doit se faire dans l'amour.

Pour réaliser le monde de demain, il nous faut établir une alliance sacrée avec celui d'aujourd'hui, car c'est tous ensemble que nous devons le transformer. Et même si certains dirigeants et hauts responsables nous amènent à douter parfois de leurs intentions, ils restent néanmoins des porteurs de grâce, et tout notre travail est de les ramener à cette réalité. Pour cela, il faut lâcher nos egos et arpenter dans la joie le chemin d'humilité qui nous mène vers plus de sagesse et de sobriété. La *sobriété heureuse*, comme le suggère Pierre Rabhi. Il n'y a pas d'autre alternative… Alors seulement notre monde se dirigera vers la paix et l'amour. Par voie de conséquence, tout se régulera, notamment sa démographie; il sera plus cohérent, plus intelligent avec l'environnement. Il sera tendre, délicat, poétique et humble.

«*Aujourd'hui dans la nuit du monde et dans l'espérance, j'affirme ma foi dans l'avenir de l'humanité. Je refuse de croire que les circonstances actuelles rendent les hommes incapables de faire une Terre meilleure. Je refuse de partager l'avis de ceux qui prétendent que l'homme est à ce point captif de la nuit, que l'aurore de la paix et de la fraternité ne pourra jamais devenir une réalité. Je crois que la vérité et l'amour sans conditions auront le dernier mot effectivement. La vie, même vaincue provisoirement, demeure toujours plus forte que la mort. Je crois fermement qu'il reste l'espoir d'un matin radieux. Je crois que la bonté pacifique deviendra un jour la loi. Chaque homme pourra s'asseoir sous son figuier, dans sa vigne, et personne n'aura plus de raison d'avoir peur*», a dit Martin Luther King.

Quand l'homme apprivoisa le feu, il bâtit sa civilisation sur Terre. Le jour où il apprivoisera le feu spirituel, l'humanité se développera avec douceur dans tout l'univers. Telle est notre destinée, si nous le voulons.

Chapitre 11

Les fausses notes en amour

«*L'amour ne connaît qu'un seul but lorsqu'il te rencontre: lui-même.*
Venir au monde encore une fois à travers toi et se donner à travers toi une chance de plus.»

CHRISTIANE SINGER

«*Le mariage d'amour, comme le prévoyaient tous ceux, de Montaigne à Maupassant, qui se sont intéressés à en déchiffrer les arcanes avant même qu'il ne se soit installé dans la réalité de nos sociétés modernes, est hautement fragile, infiniment plus friable et sujet à l'échec que le mariage arrangé imposé par les adultes. Il faut le rappeler une fois encore, afin que ceux qui auraient tendance à idéaliser l'amour redescendent sur terre: dans nos grandes villes occidentales, 50% des mariages se soldent par un divorce, épisode le plus souvent dramatique et traumatisant pour les protagonistes, y compris bien sûr les enfants*», a écrit Luc Ferry.

Pourquoi les hommes sont-ils malheureux avec l'amour?
Parce qu'ils veulent le prendre pour le posséder et l'enfermer.

C'est la fausse note par excellence, la suprême disharmonie lorsque, inconsciemment, on s'instrumentalise avec l'amour pour combler failles et manques. Parce que l'on a peur que l'autre puisse s'épanouir davantage que soi, on exerce sur lui emprise et contrôle. Nourrir cette attitude, c'est le plus grand des malheurs, la chose la plus triste qui soit.

L'amour ne se contrôle pas, ne s'utilise pas, ne se prend pas. Il se reçoit, se chante et se partage. Pour qu'il perdure, il faut le laisser aller là où il veut. L'amour ne se perd jamais, car il est partout. Quand il s'en va, il laisse la place à d'autres amours... Facile à penser, à dire, à écrire, difficile de s'en convaincre parfois lorsque tout se défait et s'écroule. Et pourtant, c'est certain, l'amour ne s'en va jamais. Quoi qu'il arrive, il est toujours là. Mais nous sommes tellement remplis de doutes, enfermés dans nos préjugés, alourdis par nos héritages, qu'il nous est pratiquement impossible de croire en cela. Il y a tellement de barrières et de peurs en nous que celles-ci nous amènent souvent inconsciemment à choisir en amour un « garde-fou » pour compagne ou compagnon. Avec le temps, ce garde-fou devient le responsable de ce que nous n'avons pas eu le courage d'oser. Ainsi, combien de fois peut-on entendre ce genre de propos dans des soirées au cours desquelles des personnes mal dans leur vie se confient en parlant de leur relation de couple : « Avec lui j'étouffe », ou bien « Il m'empêche de vivre », ou encore « On ne se comprend pas », ou enfin « On n'a pas envie des mêmes choses »...

Dans un couple, la réalité des désirs de chacun est rarement évoquée, toute la dimension fantasmatique rarement dévoilée. Parce qu'il n'y a pratiquement pas de dialogue et de partage sur l'intime de notre intimité, combien de mensonges et de trahisons finissent par se construire avec le temps ? Quand, inévitablement, du fait de l'usure de la relation, une des personnes du couple s'échappe pour respirer un peu, gare aux représailles... Contrairement à ce que l'on pourrait croire, dans le cœur de beaucoup, l'inquisition n'est pas encore morte ! Ces personnes surveillent les âmes qui osent s'évader. Face à leurs regards impitoyables, ces âmes ne peuvent être qu'égarées, voire possédées par le démon en personne. Il existe des couples où l'on s'épie jusqu'à se haïr. Terrible réalité… Si l'enfer est quelque part, il n'est sûrement pas dans un coin du ciel, il est bien là, dans cette manière d'être et de vivre.

Face à toute cette violence, à chacun sa stratégie pour s'en dégager. Le mari s'échappera par le travail en étant scrupuleux et consciencieux, l'épouse sera méticuleuse jusqu'à la maniaquerie au bureau et dans son foyer. Chacun se tient par son attitude irréprochable. L'hiver c'est la montagne, l'été la mer, belle maison, cinéma-maison, grand portail automatique, chien… Ce couple sans fausse note est un modèle pour tout le monde, surtout pour les voisins… Dans la maison d'à côté, les deux fument, fument, fument et fument encore. Qu'ils soient chez eux devant leur télé, au restaurant, dans la rue ou dans leur voiture, ils fument. Le seul plaisir qu'ils se reconnaissent et s'octroient est celui de se détruire ensemble… Ailleurs, par lassitude, lui boit pour oublier le fait qu'il n'a pas eu le courage d'avouer ses rêves et ses envies à sa compagne. De toute façon, il ne savait pas vraiment les exprimer, et le peu qu'il a pu dire n'a pas été entendu. Quant à elle, elle se recroqueville jusqu'à finir tassée et écrasée par sa propre impuissance, ses préjugés et sa sourde rancœur. Ailleurs encore, lui se dessèche dans une spiritualité vide d'incarnation alors que sa compagne se trouve toute gonflée par sa lâcheté et ses éternelles frustrations… Plus loin, un homme ne vibre plus pour sa femme et n'ose le lui dire. Il a soif d'un amour plus sensuel et pulpeux. Il est perdu dans ses jeux de séduction sans sens, s'interrogeant devant les grandes fenêtres des galeries marchandes faisant office de miroirs : « Vitrine ô vitrine, dis-moi que je suis le plus beau. » Il désire sans cesse ce qu'il n'a pas et ne désire pas ce qu'il a. Son épouse délaissée n'y croit plus et marche dans la rue, rasant les murs, en cherchant sa propre ombre pour disparaître plus encore… Dans cet appartement gris de banlieue un couple dort. Elle aime Christian Bobin et les cartes pour ce qu'elles racontent. Lui aime regarder le foot au bistrot avec ses copains et les cartes pour ce qu'elles rapportent. Leur lit, c'est l'hôtel des culs tournés, ils restent ensemble pour les enfants, mais entre eux un océan d'ennui et de résignation… Chacun espère une autre vie mais, par peur et par lassitude, rien n'est fait pour que cela se produise.

Dans tous ces ménages anonymes que nous connaissons bien pourtant, étrangement l'amour est là malgré tout, mais où sont donc fantaisie, créativité, exaltation, joie et plaisir? Cela dit, sommes-nous si différents d'eux? Qui n'a jamais rêvé d'avoir une autre vie? De changer d'épouse et d'époux, de s'installer ailleurs dans un pays nouveau, d'exercer un autre métier? En fait, presque tous, nous nous contentons de miettes plutôt que de savourer en bonne intelligence le festin qu'offre la vie. Que faut-il pour être heureux? Réaliser un mariage d'amour passion dont beaucoup rêvent aujourd'hui? Pas si simple. Le pseudo-idéal que l'autre incarne est tel que si jamais il sort de cette image parfaite, si jamais il s'en écarte un tant soit peu, la déception est fatalement au rendez-vous. Alors commencent les reproches mêlés d'espérances et d'attentes. L'union faite de dépendance et de rancœurs conduit à une alternance de joies intenses et de souffrances incommensurables. Le ping-pong de la culpabilité est en place. La relation va glisser peu à peu vers l'enfer le plus terrible qui soit: la tyrannie de l'amour, le jeu usant du «Je t'aime moi non plus». La passion nous empêche d'accepter la réalité telle qu'elle est. Elle est un piège terrible qui enferme les amants dans un idéal illusoire aussi destructeur qu'enchanteur.

Alors, pourquoi n'arrive-t-on pas à être heureux en amour? Nous sommes semblables à une prison qui marche. Nous nous côtoyons les uns les autres, mais nous sommes tellement emmurés dans nos schémas, peurs et croyances, qu'il y a le plus souvent entre nous des murs et des barreaux. Le mariage tel qu'il se fait aujourd'hui enferme les gens dans une bulle factice et illusoire de la princesse à sauver et du prince charmant, qui coupe littéralement les époux du reste du monde et génère à plus ou moins long terme individualisme, mal-être, étroitesse et ennui. L'idéal de la maison clôturée, du jardinet privatif, du chien, des caméras de surveillance et du système d'alarme crée des rues vides et des villes déshumanisées. Il nous faut aujourd'hui nous marier autrement afin d'inviter ce monde à plus de joie et de vie.

Voici plutôt ce que devrait dire un prêtre ou un maire lors du rite nuptial : « Vous vous unissez pour partager la magnificence du monde, quel bonheur et quelle chance vous avez ! Madame, monsieur, êtes-vous prêts à cela, à partir sans hâte sur les chemins, embrasser toutes les terres et enlacer tous les arbres, goûter toutes les mers sans oublier fleuves et torrents, et vaciller complices dans le mystère de l'autre qui parfois vous fera signe ? Confiants en toutes circonstances, soyez ensemble jusqu'à ce que, peut-être un jour, l'amour vous sépare. Madame, monsieur, êtes-vous prêts à aimer ce monde comme il se doit ? Êtes-vous prêts à prendre pour époux et pour épouse l'humanité tout entière ? » Et puis, ce serait tellement différent si, après s'être mariée, la femme disait à son compagnon : « Mon amour, voici les clés de mon jardin secret », et si lui répliquait : « Veux-tu bien être la jardinière du mien ? » Le sens des épousailles n'est-il pas d'aller jusque-là, d'unir à la fois corps, cœurs et âmes ? D'apprendre à s'accueillir des entrailles jusqu'à l'âme et jusqu'aux entrailles mêmes de notre âme ? Comme il est essentiel de pouvoir se susurrer l'un à l'autre ce que le Funambule du Ciel déclare avec passion à Ismaëlla : « *Avec toi, goûter chaque regard, chaque paysage, avec toi, vivre tous les possibles inscrits sur nos horizons, avec toi, sentir l'intensité de l'instant, avec toi, trébucher, avec toi, se relever devant la beauté insoutenable du monde. Avec toi, aller vers les autres, même s'ils n'ont que leurs peurs à donner en échange. Avec toi, jeter le poids de certains regards, qui en vous jugeant, vous habillent l'âme et le corps de haillons qui sont les leurs. Avec toi, rester aimant quoi qu'il arrive. Offrons-nous la vie, sans nous dépourvoir de l'illimité qui nous est dû. Soyons complices dans la grâce de ce qui est, délicatement, tendrement. L'écrin de la grâce, c'est l'instant, alors osons nos instants et chantons ensemble, la vie!* »

Du coup, chaque instant se transforme en porteur de possibles enchanteurs, les autres nous réveillent, nous éveillent, ils nous inspirent, ils nous mettent en joie... Contrairement à ce que dit Sartre, ils ne sont plus l'enfer mais le paradis. Il y a tant et tant à découvrir et à apprendre de tous ces êtres extraordinaires qui nous entourent. L'ouverture aux autres demande au couple un centrage de tous les instants, une paix du corps, une grande maturité de cœur qui affranchit de l'émotionnel, impose une éthique, du discernement. Cette ouverture libère des réflexes archaïques que sont jalousie et possession, induit l'écoute, nécessite l'exigence d'un respect infini de chacun. Tout cela est cadeau. S'accorder le chant du désir dans l'ouverture permet la grande évolution, construit la haute conscience. Sur ce sujet, j'aime ce que dit Incognito au Funambule du Ciel :

« *Incognito, j'ai tellement de désirs en moi que j'en ai honte. J'ai l'impression que c'est mal.*

— Au contraire, Funambule, avoir des désirs, c'est une grande chance!

— Ah bon ?!

— Mais oui! Cela révèle une chose, c'est que tu sais voir la beauté du monde.

— Mais parfois mes désirs me font chuter.

— Tes chutes prouvent que tu oses la vie. Mais si tu savais à quel point chuter peut aussi t'élever. Il te faut juste apprendre à apprivoiser tes désirs, Funambule. Ils sont là pour nous pousser vers le sublime. Laisse-toi traverser par eux et rends grâce au vibrant qui t'est offert. »

Cela dit, dans cette ouverture qui fait sens, le départ de notre partenaire est toujours possible. Nous changeons tellement au fil de notre vie, comme tout ce qui est, sans cesse nous fluctuons... Peut-on alors parler de fausse note lorsque l'amour appelle irrésistiblement l'un des époux vers une autre personne? « *Même quand vous avez trouvé l'amour, cherchez-le encore car celui-ci est tellement immense »*, nous dit saint Augustin. Alors, comment faire ? Devons-nous vivre nos élans en cachette, nous résigner, ou alors en parler franchement à celle ou celui qui partage notre vie ?

Il me semble que la sagesse en amour consiste à s'ouvrir en étant complices face à la vastitude de la vie qui s'offre à chaque instant, à s'accompagner l'un l'autre en étant attentifs à l'évolution de chacun, sensibles au sens profond de chaque rencontre, en restant bienveillants vis-à-vis de ce qui enrichit, réunit et parfois peut séparer. En effet, si l'être que j'aime rencontre un jour une personne avec laquelle il se sent mieux, plus en résonance, plus en harmonie avec sa vérité du moment, que faire ? Si m'ajuster à sa nouvelle réalité ne suffit pas, que faire ? Il faut accueillir cela, l'aider à changer de vie si nécessaire en l'accompagnant avec bienveillance jusqu'à s'effacer généreusement. Aimer l'autre, c'est avant tout servir son bonheur.

Il est vrai qu'au début d'une relation, tout est merveilleux. Il est beau, elle est belle, on s'aime et c'est magnifique. Alors on se décide, on emménage ensemble… Mais peu à peu, la désillusion s'installe : les centres d'intérêts, les amis, les envies sont tellement différents que plus rien ne va, au point que l'on ne se supporte plus. Peut-on parler de fausse note lorsque l'un des partenaires ne veut plus vivre avec l'autre ? Certainement pas. Il ou elle a le droit de dire non, de dire : « Je t'aime mais je désire autre chose », ou encore : « Je ne t'aime plus. » Il arrive parfois que l'on se trompe et c'est tellement normal. Déjà qu'en une vie on arrive à peine à se connaître soi-même, alors comment, en quelques mois, pourrait-on tout savoir de l'autre ? Et puis tout le monde n'a pas la chance de trouver l'âme sœur du premier coup. Aimer, c'est cela aussi, accueillir sereinement ce qui est. L'amour en aucun cas ne se force.

Ainsi le veut la musique de l'amour, elle nous rapproche et nous éloigne parfois. Avec le temps, l'un peut aussi avoir envie d'aller plus loin dans sa vie, de s'épanouir et de se dépasser dans des grands projets, alors que l'autre reste englué dans sa problématique existentielle. Cela crée un décalage forcément douloureux. Si l'autre ne veut pas avancer, la seule issue est de se séparer. « Je te dis non pour avancer dans ma vie, pour écouter mes aspirations. Je te dis non parce que je m'aime avant tout. » Le non est ici un oui à soi. Dans ces cas-là, les harmonies, à un moment ou un autre, sont destinées à se briser pour engendrer plus de vie encore. Celle ou celui qui voit en cela une fausse note, utilisant la culpabilité pour empêcher l'autre de suivre les penchants de son cœur, est en réalité enfermé(e) dans ses multiples peurs d'abandon, de rejet, d'injustice, de trahison, d'humiliation… de s'assumer seul(e) face à l'inconnu inquiétant qui se dessine. Sa peur est la fausse note, et nous avons vu plus haut les dégâts que cela peut occasionner. J'aime la résolution harmonique que propose ce texte de sagesse écrit par un sage amérindien connu sous le nom du Rêveur d'Oriah : *« Je veux savoir si tu prends le risque de passer pour un fou au nom de l'Amour, de tes rêves et de l'aventure qu'est ta vie. Je ne suis pas intéressé à savoir si ce que tu me dis est vrai. Je veux savoir si tu es prêt à décevoir les autres pour rester vrai avec toi-même et si tu peux supporter d'être accusé de trahison et ne pas trahir ton âme. »*

Que ce soit celui d'un jour ou de toute une vie, chaque amour nous enseigne quelque chose. La sagesse en amour serait d'incarner, quoi qu'il arrive, la maxime suivante : « Que ta joie soit ma joie. » Certains diraient que la sagesse en amour se trouve dans l'abstinence et la prière, d'autres dans la fidélité exclusive, d'autres encore dans un libertinage sans mesure et d'autres enfin dans l'amour chanté en complicité et partagé à l'aune du sacré. Il fut un temps où la sagesse en amour était aussi cela : « Fais un bon mariage avec un vieux riche et, pour la bagatelle, va voir ailleurs de temps en temps… » Montaigne, Marivaux, Molière évoquaient le cocufiage avec humour dans leurs écrits. À ce sujet, j'aime la réponse que donnent les Évangiles dans la parabole de la femme adultère, lorsque Jésus dit à celle-ci : *« Va et ne pèche plus. »* Son « Ne pèche plus » ne signifie pas : *c'est interdit et donc mal et punissable,* il signifie : *cela n'est pas le chemin qui mène à la vraie joie...* Parce qu'il ne culpabilise pas la personne, ne la condamne pas, il la libère et l'invite à aller vers davantage de justesse dans sa vie. Par le respect et la confiance qu'il lui confère, celle-ci retrouve alors toute sa dignité et peut continuer à grandir en conscience. Nul ne peut lui jeter la pierre, car en réalité nous sommes tous comme elle, des pèlerins en marche vers la sagesse...

Décidément, pour beaucoup d'entre nous, il semblerait que la sagesse en amour soit bien difficile à trouver. Les propos de Christian Bobin peuvent certainement nous guider : « *Je suis un jour entré dans un lien où chaque parole de l'un était recueillie sans faute par l'autre. Il en allait de même pour chaque silence. Ce n'était pas cette fusion que connaissent les amants à leurs débuts et qui est un état irréel et destructeur. Il y avait dans l'amplitude de ce lien quelque chose de musical et nous y étions tout à la fois ensemble et séparés, comme les deux ailes diaphanes d'une libellule. Pour avoir connu cette plénitude, je sais que l'amour n'a rien à voir avec la sentimentalité qui traîne dans les chansons et qu'il n'est pas non plus du côté de la sexua-lité dont le monde fait sa marchandise première, celle qui permet de vendre toutes les autres. L'amour est le miracle d'être un jour entendu jusque dans nos silences, et d'entendre en retour avec la même délica-tesse : la vie à l'état pur, aussi fine que l'air qui soutient les ailes des libellules et se réjouit de leur danse.* » Que dire de plus que cela ?

Quelles que soient les formes de « sagesse en amour », à partir du moment où elles se vivent dans le respect, l'écoute et la ten-dresse, tout est bien et juste. À chacun son Himalaya qui mène à la joie... Quoi qu'il en soit, je reste convaincu que l'amour char-nel dans son abandon suprême est l'une des plus grandes expé-riences de l'existence terrestre... Se l'interdire alors que ce serait possible, ou, pire encore, le vivre en se sentant coupable est un manque de sagesse en amour évident. Pour ma part, il y a des jours où je me surprends encore à rêver à cet amour qui m'empor-terait jusqu'à l'ivresse. Ivresse nourrie par l'éblouissement laissé par un corps qui me chavirerait, des odeurs qui m'érigeraient, des liqueurs des profondeurs de l'autre que je savourerais jusqu'à perdre pied… Sans doute est-ce la nostalgie de mes 20 ans révolus qui me porte encore vers cette démesure de l'amour. En ce temps-là, je me souviens, les corps étaient des portails somptueux ouverts à d'immenses étendues sentant la mer et ses libres horizons, avec des jouissances rappelant Sa lumière. Mon temps se vit autrement aujourd'hui, à construire l'espérance d'un monde meilleur, espérance en laquelle je mets toute mon énergie et en laquelle, je ne peux le nier, se trouve toute ma jouissance…

Il est clair qu'il n'est pas toujours simple de conjuguer sexualité et amour, aussi n'y a-t-il qu'une seule chose à faire : vivre la vie, tout apprendre d'elle, assumer ses expériences et avec tout cela se transformer. La sagesse viendra alors inévitablement en son temps. Elle ne se manifestera certainement pas en mensonges et trahisons, ou en renoncements et mortifications, car derrière ceux-ci se cache bien souvent le regret. Pour grandir jusqu'à changer, pas de rafistolage à la demi-mesure, pas d'accommodement tiède avec la vie, il faut trancher de manière franche, mais il faut que cela soit décidé en conscience, librement consenti… « *Ce que vous décidez — en vérité — cela sera. Décidez, délimitez ! Ici l'ancien — ici le Nouveau* », nous dit l'ange des *Dialogues* de Gitta Mallasz.

La sexualité est la force sacrée par essence. Elle est la plus puissante qui soit, par elle tout se perpétue. Nul n'échappe à sa pression, nul ne peut y être indifférent. Autant chez les femmes que chez les hommes, cette force tourmente, bouscule, façonne. Chacun la perçoit et la vit différemment. Voilà pourquoi il est essentiel de la reconnaître, d'en parler avec douceur, sans jugement aucun, avec notre partenaire de vie. Si cette force sacrée est utilisée pour servir manques et besoins, elle nous perd et nous détruit. Quand elle s'associe à l'amour, tout prend son sens et la magie opère, *l'âme agit au Père*. L'amour est le Souffle, rien ne le freine, rien ne l'arrête, il va même dans le cœur des pierres enfouies au plus profond des montagnes. Quand la sexualité s'unit à ce Souffle, l'amour devient substantiel.

D'après des études scientifiques, il semblerait que la chimie secrète générant la passion unissant les corps ne dure que quelques années. Quand le désir devient désert, pour certains couples l'histoire s'arrête. Si la complicité perdure malgré cette réalité et que chacun s'accompagne avec douceur dans une humilité réciproque et sincère, alors cette union rejoint la substance du monde… L'amour est là lorsqu'on accueille l'autre inconditionnellement. Accepter que celui-ci puisse avoir d'autres envies, d'autres rêves, qu'il puisse goûter d'autres saveurs, ne pas avoir la prétention de répondre à tous ses besoins, à toutes ses attentes. Le laisser dans ses libertés, même dans celles qui nous échappent. Rien n'est plus grand que ce partage. L'autre, par ses différences, nous interpelle, et même si celles-ci nous exaspèrent parfois, il nous oblige à ouvrir notre cœur. Sans aucun doute, cet autre que l'on aime nous mène vers la transcendance. Quand le couple a atteint ce degré-là, alors il n'y a aucune raison pour qu'il se brise… « *Ismaëlla et le Funambule du Ciel se retrouvèrent ensemble sur un fil, pour trébucher et se relever dans les arcs-en-ciel de l'instant. Ensemble, ils bâtirent leur maison avec, pour les visiteurs, un poème d'amour sous chaque pierre. Ensemble, ils chantèrent la vie en osant dans la délicatesse l'inconnu et l'incertain. Ensemble, ils se fondirent dans les regards du monde en s'échangeant, complices, leurs clins d'yeux. Et ensemble, ils nous livrèrent le dernier apophtegme de cette histoire: la perfection, c'est le vibrant partagé dans l'éclaté du silence.* » Pour en arriver là il y a tout un chemin à faire.

À chaque âge ses plaisirs, ses désirs, ses nécessités. Comme l'amour, la sagesse ne s'impose pas, elle s'offre pleinement à celle ou celui qui chemine vers elle. Petit à petit elle rentre en nous telle une pousse qui se fraie un passage dans le roc et finit par le fendre. Laissons-nous fendre, cela assouplira le roc que nous sommes parfois, et la sagesse n'en viendra que plus vite. Aimer n'est pas simple en ce monde où l'on a choisi de cultiver l'apparence des choses, *l'appât rance*, plutôt que d'en ouïr le sens. *Quand j'ouis le sens, je suis en jouissance.* Celle-ci est tellement légitime.

Nous la recherchons pratiquement tous, car elle est la mémoire résonante du big-bang originel, l'écho du méga-orgasme matriciel duquel nous venons tous. La jouissance nous relie au primordial et à sa dimension sacrée…

Et pourtant… il y a parfois, pour certaines personnes, des jouissances plus proches des larmes qui n'ont pu être exprimées que de la joie. Tant de blessures et d'humiliations qu'il a fallu taire et cacher. Pleurer ça ne se fait pas, surtout quand on est un homme. Et rien que pour ça, à bien des égards, la jouissance peut être salvatrice.

Cependant, jouir pour jouir a été longtemps considéré comme la fausse note qui mène au diable, le plus court chemin qui conduit à son enfer, le péché honteux qu'il faut punir. Même si aujourd'hui il semble que plaisir et orgasme soient davantage reconnus lorsqu'on les voit s'afficher, le plus souvent à l'arrivée du printemps et de l'été, en gros titres sur la plupart des couvertures des magazines à la mode, qu'on le veuille ou non, la sensation de faute demeure toujours sous-jacente en nous, comme un subtil contrepoint dans la musique de nos élans… En vérité, l'amour ne doit être ni utilisé, ni sali, ni galvaudé, ni réduit (publicité, pornographie, histoires à l'eau de rose…), mais doit être considéré comme la vastitude à explorer, à la fois un et multiple, porteur de toutes les formes et sans forme, à la fois racine et fleur.

Pour que l'amour soit, il nous faut apprendre à tout accueillir de lui. Il n'y a ni haut ni bas, ni bien ni mal, ni pur ni impur, ni intérieur ni extérieur, rien n'est séparé. Tout est un, noble et sacré. Quelles que soient les nourritures que l'amour dispense, à savoir les terrestres et les spirituelles, les deux, là aussi, sont une. L'une comme l'autre sont autant essentielles que complémentaires. Ainsi, a-t-on vu une fleur mépriser la racine qui la nourrit ? A-t-on vu une racine médire de sa fleur qui s'abandonne à la lumière ? Certainement pas. Pour certains, toute cette vastitude pourrait sembler excessive. Ne dit-on pas que *le mieux est l'ennemi du bien*, et *le trop, l'ennemi du juste*? Mais qu'est-ce qui est bien et juste? Sans doute celui qui sait s'abandonner dans le ici et maintenant en s'ajustant au mieux dans le trop de la vie, qui génère d'infinies interactions qui nous échappent...

Il nous faut emprunter la voie de l'amour infini, celle qui supprime tout jugement hâtif, toute forme de désespérance, qui permet à chacun de grandir et de se transformer jusqu'à l'ineffable. Il nous faut apprendre à tout accueillir, même l'insoutenable, afin que cette transformation puisse s'accomplir. Tel est le défi à relever. Que ces lignes nous invitent à aller vers cet amour aussi vaste que généreux, libre et chaleureux, délaissant les vieilles nourritures que sont pouvoir, séparation, besoin de reconnaissance et contrôle. Pour y arriver, il faut que les femmes retrouvent pleinement leur droit d'être et que les hommes accueillent cela avec tendresse en n'ayant plus peur... Le jour où nous serons enfin ensemble, sans pouvoir mais libres en tendresse dans notre puissance d'être, à ce moment-là seulement, l'amour sera pleinement présent sur Terre. Un amour vrai sans tromperie ni séduction. Un amour sans attentes et sans jeux d'emprise. Un amour plein de retenue et de respect, d'élégance et de délicatesse. Pour y arriver, il nous faut avoir le courage de sortir de toute cette hypocrisie érigée en système... Pour y arriver, nous devons apprendre à chanter en complicité le chant du désir et à bâtir l'amour dans l'amour...

Pour commencer, il est indispensable de nous réconcilier avec notre propre corps, car nous nous rencontrons à travers lui. C'est grâce au corps que l'on apprend, découvre et éprouve la vie. Le premier miracle, c'est lui. Respectons-le et accordons-lui de la douceur. Lorsque l'on s'accorde, on s'ajuste avec soi et les autres. Lorsque l'on s'accorde, il peut y avoir des dissonances, mais il n'y a jamais de fausses notes. La *biodanza* est idéale pour retrouver son corps et pour retrouver le lien sacré qui nous unit tous les uns aux autres. Rolando Toro, son créateur, pense que l'énergie de vie qui nous traverse et traverse la nature s'apparente à un flux.

D'après lui, ce sont les êtres humains qui bloquent ce flux dans leur tentative de se séparer et de s'isoler du reste de la création. Mais cette tentative est vaine et illusoire, car nous sommes reliés par une extraordinaire intelligence télépathique dont la nature même est l'amour, à laquelle nous avons cependant le choix de nous ouvrir ou de nous fermer. *S'accorder* est un maître mot dans la musique de la vie.

Il nous permet d'être enfin et de peu à peu rayonner. «*Au fur et à mesure que nous laissons briller notre propre lumière, nous donnons inconsciemment aux autres la permission de faire de même*», nous a dit avec justesse Mandela dans son discours d'investiture. À partir de ce moment-là, il est essentiel que l'on apprenne à tisser entre nous des liens qui délient, afin d'accéder à notre pleine puissance: «*Notre peur la plus profonde est que nous sommes tout-puissants au-delà de toute limite*», nous dit encore Mandela. Et cette pleine puissance est sans pouvoir. C'est juste une puissance de vie qui nous connecte à la joie, la joie silencieuse. Accéder à cette pleine puissance, c'est enfin entrer en contact avec notre Dieu ou maître intérieur, omniprésent, omniscient et omnipotent. Il est toujours à l'œuvre en nous et nous guide vers les personnes et les situations qui nous sont nécessaires pour évoluer. Mais faire l'expérience de la pleine puissance expose inévitablement aux jugements de ceux qui n'en sont pas encore là. Les critiques peuvent être parfois très dures, voire violentes, mais elles ont du sens car par elles, je peux me remettre en question et m'améliorer. Accéder à et incarner la pleine puissance n'est pas chose facile, cela demande beaucoup de courage et de constance, mais cela demeure le sens même de la vie. Cela dit, le cadeau n'est pas d'accéder à la pleine puissance, le réel cadeau est de s'affiner. La pleine puissance exige cela. Elle demande d'incarner les vertus que sont humilité, écoute, compassion et délicatesse. Les messes du dimanche nous incitent souvent à cela, mais s'entendre dire: «Vous êtes pécheurs, coupables et en plus soyez humbles…» est irrecevable. Par contre, si l'on permet aux personnes d'incarner leur pleine puissance, alors de fait, ces vertus ont du sens, car gare aux dégâts si la délicatesse et l'écoute ne sont pas au rendez-vous. La pleine puissance induit la pleine présence à l'autre avec la dimension de l'empathie en plus. Tout cela nous relie fatalement à nos profondeurs réciproques, parfois si intensément belles qu'inévitablement, s'éveille le désir...

Parce que je suis un être de désir, lorsque je croise les autres, je risque de me frotter à la frustration. Qu'est-ce que le désir, sinon la marque de la distance ? Il est bien connu que je désire ce que je n'ai pas. Alors, je vais chercher à plaire, séduire, convaincre, et sans que j'en aie conscience, ma pleine puissance devient un outil de manipulation. Pour m'affranchir de cela, je dois intégrer que tout ce qui m'entoure fait partie de moi. C'est fondamental, sinon je deviens esclave de ce Tout. Et pourtant, même quand j'ai le sentiment de faire un avec le Tout, qu'il n'y a plus de distance, il y a toujours le désir. Comment est-ce possible ? Tout simplement parce qu'au-delà du désir il y aura toujours et encore le désir... En intégrant le fait que je suis relié au Tout, je me libère de toute frustration. La pleine puissance associée à cette haute conscience m'amène à ne plus chercher à posséder, à prendre, à avoir. J'ai enfin atteint le «Je suis» qui se suffit à lui-même. Celui qui est pleinement n'a pas besoin d'avoir, c'est la sobriété heureuse ; en revanche, celui qui a, a besoin d'être. Le consommateur *addict* au milieu des choses, sans qu'il en ait conscience, en réalité recherche désespérément son propre «Je suis».

Cependant, attention à ne pas tomber dans le piège de la pleine puissance d'un Narcisse arrogant et distant. Il est victime de sa propre image, sa pleine puissance le tue. Seule une pleine puissance empreinte d'humilité et détachée d'elle-même nous sauve de ce péril. Je me suffis à moi-même tout en restant ouvert et sensible au mystère de l'autre. Je me suffis à moi-même tout en étant affranchi des illusions des apparences, à commencer par la mienne. Je me suffis à moi-même en restant conscient de mes limites et manques. «*S'il n'y a pas de manque, il n'y a pas de place pour donner*», nous dit l'ange des *Dialogues*, et s'il n'y a pas de place pour donner, il n'y en a pas non plus pour recevoir. Il est fondamental pour être un vivant de rester un être éternellement désirable (je donne) et désirant (je manque), avec la conscience de n'avoir besoin de rien, car il est uni au Tout. Du coup, il peut être traversé et traversant, ouvert à l'amour, il peut être amour car l'amour n'est rien d'autre que cela : du désir qui s'abandonne. Voilà l'essentiel.

Derrière le mot *abandon*, certains pourraient imaginer une invitation au n'importe quoi. Or, dans l'abandon, pas de place pour le n'importe quoi. Le n'importe quoi, c'est tout l'inverse de l'abandon. Un arbre s'abandonne, le roc s'abandonne, l'eau s'abandonne, le ciel s'abandonne. Le n'importe quoi n'existe pas quand toute la vie s'abandonne à la vie. Celui qui profère « n'importe quoi » n'a pas encore saisi et mesuré le sens profond du mot abandon qui nous unit au mystère de l'amour. L'abandon, c'est l'expression de l'accueil inconditionnel qui mène à cette vérité absolue que nous recherchons tous. L'abandon permet d'accéder à l'immuable. L'accueil de ce qui est permet *la cueille* de ce que je suis. Quand je me livre à cela, je me délivre. Parce que l'ego s'efface, c'est à ce moment-là que mon individualité peut s'épanouir pleinement, enfin reliée au Tout dont elle n'a jamais été séparée. Le « non-moi » permet le Soi éternel, libre et impermanent. Pour autant, il ne faut pas croire que cet abandon nous dégage des réalités de la vie. La vie reste la vie avec sa virulence et sa gravité (catastrophes naturelles, maladies, trahisons), qui nous emportent parfois dans ces marécages faits de nos doutes, peurs et culpabilités. L'accueil de ce qui est permet de traverser plus facilement tous ces aléas qui parfois nous écharpent et toujours nous échappent…

Contrairement à ce qu'affirme le dicton, l'amour ne demande pas de preuves. D'ailleurs, l'amour ne demande rien, il est… Si l'amour devait nous demander une seule chose, ce serait justement celle de s'abandonner à lui… Tout abandon à lui mène à l'abondance. Plus rien à défendre, juste se laisser traverser les uns les autres par une tendresse qui n'a en aucun cas besoin de se justifier. Partager le vibrant, s'autoriser avec douceur tout le mystère de la passion qui nous environne magnifiquement, c'est rejoindre le Christ et sa passion pour l'humanité. C'est vivre un amour démesuré, mais « *cette démesure est la seule mesure acceptable qui soit pour l'amour* », nous dit Christiane Singer. Si j'incarne cette démesure, alors le Christ qui est en moi s'éveille.

La plupart d'entre nous aimerions être semblables au Christ, sans fausses notes, parfaits, irréprochables. En ce qui me concerne, j'ai cru naïvement dans ma jeunesse que c'était réalisable. C'est en visant cette perfection que je fus certainement le plus maladroit, le plus désagréable, le plus stupide. C'est en essayant d'être beau que je fus certainement le plus laid. Quand je pris conscience de cela, j'avais le choix entre deux options : persister dans cette voie ou m'accepter. Le jour où je me suis aimé tel que je suis, avec mes insuffisances, ma vie changea radicalement. L'accueil inconditionnel de soi sauve et libère. Nous pouvons accomplir le chemin et grandir, au sens nietzschéen des termes, être dans l'*amor fati*, l'amour du destin, de ce qui est là ici et maintenant, mais dans un ici et maintenant relié à Sa grâce. Ce qui implique tomber, se relever en tirant la leçon de chaque faux pas. Quelle chance ! En fait, nous sommes des éternels apprentis sur la voie de l'amour, destinés à apprendre les uns des autres. À ce sujet, j'aime ce qu'a écrit le père Paolo dans le livre de Guyonne de Montjou, *Mar Moussa* : « *Nous devons nous donner mutuellement accès au mystère. Même si nous sommes limités, imparfaits ou impuissants, nous restons indispensables : Dieu est obligé de passer par nous pour aller aux autres. Si nous refusons cette responsabilité, alors l'amour se désincarne.* » Pour ma part, je suis bien loin encore d'assumer toute ma part de responsabilité en ce domaine, mais chaque jour, grâce à la vie, j'apprends… Ensemble nous sommes sur le chemin à partager nos merveilleuses fausses notes.

Que l'amour soit le nouvel étendard flottant sur le monde. En complicité, femmes et hommes se doivent maintenant d'avoir le courage de le brandir où qu'ils aillent, où qu'ils soient, de soutenir regards et jugements, affronts et maladresses.

Partager ce qui vibre dans la joie n'est pas simple, car s'abandonner à la vastitude de l'amour implique un réel affranchissement des héritages familiaux et des schémas culturels, un dépassement du regard que l'on se porte à soi-même, un détachement du jugement des autres, une grande élévation de conscience. C'est loin d'être une mince affaire. La démesure de l'amour n'est accessible qu'à peu d'entre nous. Presque tout le monde veut l'amour et la liberté, mais trop de peurs et de colères gouvernent aujourd'hui encore la plupart des cœurs. Des phrases telles que « juste se laisser traverser les uns les autres par une tendresse qui n'a en aucun cas besoin de se justifier » peuvent donner à penser que tout est permis, qu'au moindre caprice on peut se séparer, que parce qu'un « Je t'aime » est dit, on peut immédiatement assouvir ses envies… Un « Je t'aime » peut être aussi perçu par d'autres comme très intrusif et, de ce fait, très agressant. Des personnes peuvent se demander : « C'est quoi, cet(te) illuminé(e) ? », ou penser : « Il ou elle doit coucher avec tout le monde. » Décidément, le rayonnement d'être qui invite à la joie silencieuse dans la résonance de l'amour, dans le déploiement du Soi en partage, reste suspect et va parfois jusqu'à l'intolérable pour beaucoup.

Évidemment toutes ces personnes se trompent. Ce « Je t'aime » est la réponse humble d'une écoute sensible de ce qui est et de ce qui vient. Ce « Je t'aime » n'est que don, un don de tous les instants, au service de l'émergence de chacun, c'est juste de l'émerveillement et de la joie témoignés. C'est simplement de l'amour entendu, reconnu et chanté. L'amour chanté ainsi pour et par tous rend toutes choses accessibles et, de fait, remet en question les jeux de domination, émancipe la femme, libère l'homme. Il n'y a plus de gens « plus » et de gens « moins », il n'y a que l'amour. Un amour à l'attachement libre et serein, léger, respectueux et responsable. Fatalement, cet amour-là dérange. La violence inéluctable de certains qui s'agrippent à l'ancien est le prix à payer lorsque l'on invite les êtres à cette autre conscience. On devient le support de tous les fantasmes et frustrations, on devient victime de l'interprétation erronée liée aux projections scabreuses de ces personnes. Désireuses mais incapables de vivre et d'assumer la tendresse de tous les instants, assoiffées de plus de vie mais engluées dans leur peur d'être, ces personnes deviennent la proie d'énormes colères. Cette colère, expression de leur impuissance, leur donne un pouvoir sur toutes celles et ceux qui n'ont pas assez de force d'âme pour oser vivre la vie pleinement.

Cela dit, sans la cautionner, cette colère est tellement légitime. Pour certaines personnes, leur histoire de vie pourrait être celle-ci : elle commence lors de la conception, lorsque le petit être à venir n'est pas désiré et éveille chez ses géniteurs doutes et peurs. Elle augmente quand, enfin là, bébé espère tendresse et câlins… Combien de parents sont maladroits avec cela ? Notre petit enfant attend nuit et jour, pendant des mois, des années, jusqu'à enfouir son attente au plus profond de lui-même. Puis cette colère s'intensifie lorsqu'en grandissant il se heurte aux réalités de l'existence, aux moqueries, aux humiliations, aux abus sexuels … Il se blesse aux blessures de l'humanité… Aussi, quand bébé devient une grande personne, il se dit : « Comment puis-je croire en l'amour ? J'ai tellement espéré… Aimer ? Pfff ! L'amour ? Méfiance. J'ai tellement été trahi. Les porteurs d'amour sont des porteurs d'amertume. Ce sont des menteurs. L'école de la vie m'a enlevé ma puissance d'être et m'a appris en retour la culpabilité et les jeux de pouvoir. Ma colère est mon pouvoir. Elle est mon seul pouvoir d'ailleurs. Ma colère me protège, elle est ma carapace, mon squelette même. Alors touche pas à ma colère… » Voilà pourquoi il est parfois impossible pour certaines personnes de lâcher leur colère. Leur demander de pardonner, d'aimer, peut les rendre hostiles, voire agressives. Mais comment leur en vouloir ? Ces personnes que l'on a violentées, méprisées, rejetées, on leur a tout pris. Leur colère est la seule chose qui leur reste. Elle les définit, les fait exister. Elle est le socle et le ciment de la personne qu'elles sont.

Elle est leur terreau, leur germe, la tige, la fleur, les larmes qui l'arrosent, leur fruit… Leur colère est leur terre, leur ciel. Elle est leur vie, leur mort.

«Mourir en paix.» Qu'est-ce cela encore? À ce sujet, que ne nous montre pas aujourd'hui le cinéma à effets spéciaux? Le méchant en colère ressuscite grâce à sa colère. Celle-ci le rend plus fort, le mène au bord de l'invincibilité. Il suffit de penser à L'incroyable Hulk, à Spiderman, à Terminator… Ne nous trompons pas pourtant, la colère ne ressuscite personne. Son feu est comparable au feu de la joie. Mais à la différence du second qui illumine et nous relie à l'éternité, le premier nous consume jusqu'à nous détruire définitivement. En attendant, sus à celui qui parle d'amour, il fait de l'angélisme, c'est un «béni-oui-oui» dangereux, inconscient et irresponsable. Surtout ne pas l'écouter, et s'il continue à parler il faut le tuer. Entre le «Tu es» et le *tuer*, j'ai choisi. Voilà pourquoi depuis toujours, d'un commun accord, populace, prêtres et dirigeants ont collaboré et collaborent toujours et encore pour éliminer les prophètes de l'amour. Voilà pourquoi, tout en invitant les peuples à l'amour inconditionnel, pour se protéger, beaucoup de grands maîtres ont préféré s'isoler. Rares sont les Zarathoustra qui ont quitté leur refuge pour se mêler à la mêlée humaine jusqu'à s'entremêler… Socrate, Jésus, Gandhi, Martin Luther King, John Lennon et combien d'anonymes ont osé le faire et en ont fait les frais: empoisonnés, crucifiés, assassinés, torturés, jetés aux fauves, brûlés, calomniés, tous victimes de la peur et de la bêtise. «*La lumière luit dans les ténèbres, et les ténèbres ne l'ont point reçue*», a dit Jean (1:5, LSg).

En ce qui me concerne, si je suis parti sur les routes à l'âge de 24 ans avec mon piano à queue, ça n'a été que pour chercher la boisson de l'amour. Sous toutes ses formes, je la cherchais à travers un sourire, une étreinte, un repas partagé, de la musique improvisée, et plus encore, si pour chacun, dans la synchronicité des possibles, il y avait affinité d'âme, de corps et de cœur. Toute ma vie, j'ai cherché la coupe de la joie et je la cherche encore aujourd'hui. Sans le savoir, j'ai mis en pratique ce qu'a dit saint Augustin. Moult fois je l'ai trouvée, mais parfois, mes vacillements, témoignages de mon ivresse, furent ressentis par certaines personnes comme des fausses notes. Celles-ci m'ont amené à frôler ce qu'elles nourrissaient intérieurement, le doute et l'indifférence qui, on le sait, éteignent en nous toutes lumières de l'amour. Heureusement, et je ne sais par quel miracle, je ne restais jamais longtemps dans ces marécages, reprenant ma quête d'absolu absolu, je mettais à profit ces épreuves pour affiner discernement et bienveillance, clarté et délicatesse.

Ces propos me rappellent une anecdote émouvante survenue à Aix-les-Bains lors d'un forum sur la nouvelle conscience organisé par Terre du Ciel. Après ma conférence, une femme vient me voir pour que je lui dédicace mon livre, *Le Pianiste nomade*. Elle me demande une étreinte, alors je la serre dans mes bras, et doucement, avec tendresse, je lui fais un bisou plein d'amour sur la joue. Puis je la regarde partir remplie par la grâce de notre échange. La personne suivante est une jeune femme. Elle m'achète un CD en maintenant une froide distance et s'en va. Le lendemain cette même deuxième personne revient me voir. «Ça m'a vraiment dérangée votre bisou d'hier. Je me suis demandé si vous n'aviez pas un problème. Ça m'a mise en colère. J'étais fâchée contre vous.

— Ah bon? lui dis-je, tout étonné.

— Et puis j'ai réalisé que ce que vous avez fait a mis en avant une chose dont je ne m'étais jamais rendu compte.

— Quoi donc?

— On ne me faisait pas de câlins quand j'étais petite. Je n'ai pas eu de tendresse à la maison. Ce que vous avez fait à cette femme, c'était insupportable pour moi. D'ailleurs, je n'aime pas voir des gens qui se touchent, les tactiles m'exaspèrent. Ça m'enrage.»

Et là, sans prévenir, elle s'effondre, elle fond en larmes. Doucement, pour la consoler, je lui prends les mains. Elle poursuit: «Quand j'ai pris conscience de cela, j'ai réalisé que vous n'y étiez pour rien. Ma colère, ce n'est pas contre vous, mais contre mes parents.

— Il n'y a aucune raison d'être en colère, vous savez. Ce n'est pas si facile de donner de la tendresse. Parfois on en donne trop, parfois pas assez… En tout cas, grâce à vous, je comprends pourquoi beaucoup de gens ont du mal à accueillir l'amour. Merci pour votre franchise et votre courage.

— Mon courage ?

— Celui de vous être interrogée en profondeur. M'accuser d'être la cause de votre souffrance vous aurait certainement évité ce souvenir.

— Vous m'avez ouverte à la tendresse. J'ai envie d'en donner aux autres et d'être plus douce avec mes deux enfants. Parce que jusqu'ici… »

Elle se met de nouveau à pleurer. « Magnifique tout ça, lui dis-je en l'enlaçant. Donner, c'est bien, mais ne vous oubliez pas. Acceptez de la recevoir, cette tendresse, elle est aussi pour vous. Vous y avez droit. »

Et là, sans que je m'y attende, tout son corps raide et distant de la veille se met à fondre en sanglots contre moi. Elle qui était si glaciale hier, je la sens vibrer. Enfin, tout en me regardant avec une gratitude bouleversante, elle me fait une petite bise au bord des lèvres et disparaît à jamais dans le hall bondé du Palais des congrès.

Sans aucun doute, toute la difficulté dans la vie est d'arriver, quoi qu'il se passe, à rester ouvert aux autres en conservant sa fraîcheur de cœur, à garder une foi invincible en soi et en la vie qui seule nous rend dignes.

J'aime cette autre histoire qui illustre parfaitement cette vérité et qui, lorsque je l'ai découverte, m'a touché et me touche encore aujourd'hui : un jeune homme a le talent de raconter des légendes portant en elles le germe de la foi et le feu de l'amour. Il décide d'aller en ville pour les conter. Il s'installe sur une place et se met à parler. Quelques personnes l'écoutent. Certaines disent : « C'est quoi, ce prêcheur ? » et partent aussitôt en maugréant ; quelques-unes discutent entre elles : « Il se prend pour qui, celui-là ? »,

« Encore un farfelu ! » D'autres sourient en se disant : « Ça lui passera, il est jeune », d'autres encore sont touchées mais repartent en oubliant vite le message donné. Les années passent, le jeune homme devient un homme mûr. Son art s'est affiné, il conte magnifiquement mais avec le temps, les gens se sont habitués à sa présence et tous passent devant lui sans l'écouter. Le temps passe encore. Notre homme est usé mais il ne se lasse toujours pas de conter. Un matin, un enfant s'installe pour l'écouter. Celui-ci reste toute la journée à l'entendre. Le soir, l'enfant lui dit : « Elles sont belles, tes histoires.

— Je te remercie, fait le vieil homme.

— Mais pourquoi les racontes-tu puisque personne ne les écoute ?

— Vois-tu, quand j'avais ton âge, je voulais raconter des histoires pour changer le monde. Aujourd'hui, si je continue à les raconter, c'est pour que le monde ne me change pas. »

L'important est d'aller là où notre cœur nous porte, de tenir le cap quels que soient les vents et courants. Laissons ceux qui veulent nous emprisonner derrière leurs propres barreaux, n'ayons aucune tristesse et partons sans nous retourner pour construire uniquement avec celles et ceux qui nous permettent de rester libres. Et là, sachons rester vacillants devant chaque instant livrant la beauté du monde que nous ne saurons jamais vraiment voir à sa juste valeur. De toute façon, par essence, tous ces instants nous échappent. Et là, soyons attentifs à l'autre porteur de tant de mystères. L'autre qui nous bouleverse tant parfois, lui aussi nous échappe quand il s'évanouit définitivement à l'angle d'une rue, derrière le claquement d'une portière de voiture ou la vitre d'un bus qui le ramène chez lui. Alors aimons-nous librement, ne serait-ce qu'un court instant. Un tendre baiser « volé » entre deux couloirs est précieux, car en nous éveillant à la joie, il nous guérit. Sans rien enlever au caractère sacré de l'abandon amoureux, qu'il y ait contact physique ou pas, là aussi, quelle importance ? Cela ne dépend pas de nous, mais uniquement de notre soif et de la communion qui peut s'établir entre le corps, le cœur et l'esprit. De toute façon, tout cela ne nous appartient pas.

Si l'amour se vit entre deux êtres, dans tous les cas, il ne doit être que don. Avec respect, douceur et tendresse, étreignez, étreignez, étreignez, et vous serez dans le bon wagon de la vie, sur la bonne voie. Et faites attention, un train peut en cacher un autre...

Les fausses notes en amour, nombreuses dans nos histoires de vie, sont et seront toujours là, terribles et douloureuses tant que nous manquerons de courage pour porter l'amour dans la joie.

Peut-on faire l'éloge de ces fausses notes ? Certainement. Ces fausses notes sont le terreau de la foi, elles donnent un sens à celle-ci. Car que signifierait la foi sans les fausses notes ? Quand je parle de foi, il ne s'agit évidemment que de foi en soi et en la vie. Il n'est pas facile de porter l'amour aux hommes, mais si l'on persiste et que notre foi se raffermit, alors je reste convaincu qu'à la fin, c'est l'amour qui nous porte. À ce moment-là, plus de sentiment, plus d'aspiration, plus de foi, juste un abandon du soi au Soi. Il n'y a plus rien à dire ou à faire car tout est là... Juste se donner plus encore à ce *tout est là*, s'incliner et obéir. Plus besoin de se dépêcher, de convaincre et de prouver, car l'infini s'est installé dans notre cœur. Plus besoin de renoncer, de se détourner, de rejeter, de choisir, car autre chose a pris toute la place... Il est enfin revenu en notre corps, qui, en réalité, a toujours été Sa demeure. Auparavant, cela lui était impossible, parce que notre corps était insalubre et fermé pour cause de travaux... Lui revenu en nous, le germe d'amour que nous sommes peut s'ouvrir pour Le révéler enfin.

Chapitre 12

Quatre mains, fausses notes et bienveillance

Si je suis musicien, c'est pour écouter le chant de la vie. Devant une telle harmonie qui se déploie à chaque instant et s'offre si librement à mon être, j'ai parfois le sentiment que mes improvisations musicales ne sont que des balbutiements. Seule ma profonde bienveillance envers ma création m'a permis d'en supporter les cafouillages et de les affiner jusqu'à en percevoir plus ou moins le sens... Avec le temps, cette bienveillance s'est aussi appliquée aux autres. Peu à peu, je découvrais qu'en la maladresse de celui qui débute, le geste qui tremble, la note fragile, se cachait toute la vérité du monde. Dans cette vulnérabilité qui se livre, je sens réellement ce que signifie le mot *humain* et m'en régale profondément. Voilà pourquoi j'aime animer des stages. Le premier jour du stage, les gens jouent sans consignes, leur musique les révèle, leur carte d'identité est sonore. En raison de leurs maladresses inévitables sur le clavier, je leur offre quelques clés. Ces clés, tout en leur donnant plus de conscience, les rendent davantage bienveillants avec les fausses notes, et ça, c'est terriblement excitant, car du coup, ils osent les sons, s'abandonnent au clavier...

Cela implique de développer plus encore le sens de l'écoute. Pour cela, l'exercice du quatre mains reste idéal. L'incroyable dans ces quatre mains de l'improbable, c'est de voir comment ces musiciens en herbe arrivent à oublier le mental pour se laisser traverser par la grâce. Lorsque celui-ci revient à la charge, la musique devient vide et tout le monde s'en rend compte immédiatement. Le plus magique, c'est quand je demande aux deux pianistes de croiser leurs mains sur le clavier. Le musicien de gauche va avec sa main droite jouer dans le camp du musicien de droite, alors qu'avec sa main gauche, le musicien de droite va « envahir » le camp du musicien de gauche. La musique se transforme aussitôt, prend plus d'éclat et d'ampleur, comme si ce « mélange » brassait les énergies des deux pianistes pour les augmenter de façon exponentielle. Il est rare que ces improvisations ne soient pas joyeuses. Quand le duo arrive à l'accord final, toute l'assemblée reste médusée face à tant de synchronicité, de beauté, d'originalité et de liberté exprimées. Et c'est dans le silence que les deux pianistes s'étreignent, bouleversés, et c'est dans le silence que nous les regardons s'abandonner avec une gratitude réciproque. Il arrive parfois que des quatre mains ne fonctionnent pas. La musique stagne de part et d'autre, semblable à de l'eau oubliée dans deux pots en terre. Cela reflète souvent un grand manque de confiance en soi. Comme la peur nourrit la peur, chacun reste figé dans son coin, jugeant impitoyablement chaque note jouée. L'humour, le rire sont précieux à ce moment-là, et aussi la tendresse, beaucoup de tendresse. Tout le travail consiste à les pousser à accueillir jusqu'à oser. Le sublime est qu'ils finissent toujours par s'abandonner. Si ce n'est pas aujourd'hui, ce sera demain, impossible qu'il en soit autrement. Et c'est trop beau de voir ces paralysés la veille marcher le lendemain...

Pendant mes récitals, j'aime aussi inviter le public à faire des quatre mains avec moi. J'appelle cela les *concerts d'émergence*.

Qu'est-ce qui est important quand les gens quittent la salle après le spectacle? Qu'ils pensent que je suis génial ou que je suis nul? Aucun intérêt. L'essentiel pour moi est que les gens sortent dans un autre état de conscience en se disant: « Je suis capable de créer, de dire, de donner car sans aucun doute, j'ai de la beauté et de la richesse en moi. » Pour cela, je prends le temps d'expliquer aux personnes que la grâce n'est pas réservée à Mozart mais qu'elle est aussi pour elles, puis je demande: « Qui n'a jamais fait de musique dans la salle? » Beaucoup de mains se lèvent, plus de la moitié du public. Et j'enchaîne aussitôt: « Qui aimerait faire un quatre mains avec moi? » Et là, dans un grand silence, toutes les mains se baissent d'un seul coup. Éclat de rire général. Au bout d'un moment, il y a toujours quelqu'un qui dit: « Moi, je veux bien essayer. » Alors quand la personne me rejoint sur la scène, tout le monde applaudit.

Un quatre mains d'émergence, c'est comme un lever de soleil le premier matin du printemps. Au début, c'est tout timide, et puis ça monte doucement, la personne tente deux notes, puis trois, je lui réponds avec beaucoup de douceur. Comme elle se sent accompagnée, elle ose un peu plus. Nos notes s'entremêlent sous l'effet de la pédale de droite et cela crée une belle atmosphère. Des harmonies nouvelles nous traversent et cela nous fissure. Ça se dégivre de partout, alors à l'intérieur de nous ça fleurit doucement. J'entoure la personne avec le plus de délicatesse possible et peu à peu elle s'abandonne à cette bienveillance. Je lui dis: « Prends la place, oui, vas-y, ose, fais des fausses notes, tu as le droit. » Et la personne se lance, jette ses doigts sur le clavier, presque avec insolence parfois, et pourtant rien n'est faux. La musicienne en herbe s'étonne elle-même, alors elle s'enhardit. Je la pousse un peu plus en mettant davantage de rythme mais pas trop, je sens qu'il ne faut pas aller trop vite, trop loin, c'est tellement fragile tout ça. Et puis on revient au tempo initial, tout en lenteur et résonance, puis peu à peu la musique s'éteint. Le public est soufflé. Les gens ne s'attendaient pas à ça. Je vois dans la salle des gens bouleversés, certains en larmes, je perçois quelques sceptiques, mais à la force des applaudissements je sens bien que le message passe. Au bord du silence, je demande : « Voulez-vous que l'on continue ? » Et toute la salle fait doucement : « Oui. » D'autres personnes se succèdent et chaque fois, le même miracle se produit. Il m'est arrivé lors d'un concert de faire jouer huit personnes d'affilée. Cela a duré une heure. C'était incroyable de beauté et de profondeur.

Pour illustrer ce propos, voici une anecdote croustillante. Dans un petit village pas très loin du mont Ventoux où j'allais donner un concert conférence, je rencontre dans l'après-midi les gars de l'équipe organisatrice. Avec son accent chantant, un petit papi du groupe me dit : « Té, mon frère est prof de musique au conservatoire, ma sœur est pianiste. Ils sont presque tous musiciens dans la famille, y a que moi qui y connais rieng…

— T'es l'idiot de la famille, lui lance son comparse en riant gentiment de lui.

— Je suis à moitié sourd, alors c'est pas de ma faute… »

Le soir du concert, après avoir fait jouer trois personnes, j'appelle mon petit papi de l'après-midi. Assis sur la dernière chaise, tout au fond de la salle à gauche, il me fait signe qu'il ne veut pas venir. Je vais le chercher. Des proches se moquent en riant : « Il y connaît rien, c'est un âne… » Cette réaction m'excite davantage, alors j'insiste un peu plus : « Allez, viens jouer avec moi, je suis sûr que tu es un merveilleux musicien. » Tout le public m'aide en claquant dans les mains et en scandant son prénom : « Pierrot, Pierrot, Pierrot… » Pas de doute, le gars est populaire ici. Sous un tonnerre d'applaudissements, finalement, il me suit. Je sens qu'il est partagé entre grande envie et grande peur. « Je te préviens, je vais faire des notes qui n'existent même pas tellement ça va être faux ! (Rires de la salle.)

— Mais non, je suis certain que ça va être magnifique.

— Té, comme je vais en entendre qu'une seule sur deux, ça ira bieng ! » (Rires encore.)

Je lui rappelle les consignes — amour, silence et amour —, et puis le gars se lance. D'entrée de jeu il m'étonne par son application, sa douceur... Je crois que lui aussi est surpris. Je lui réponds. Il recommence et tout de suite la musique se love autour de nous. Je le sens prendre goût à ce petit jeu. Je vais plus loin dans le rythme, le pousse un peu. Il ne lâche pas l'affaire. Son tempérament chaleureux du midi transparaît dans ses notes, ça bouge bien. Ses gros doigts de paysan sur mon clavier, ça m'émeut profondément... Nous faisons une musique géniale, couleur soleil. Lorsque nous nous arrêtons de jouer, c'est un petit mistral qui souffle dans la salle. Finalement, le baudet n'est pas si baudet que ça. «Té y se pourrait bien que la grâce l'ait touché à lui aussi», me sort une mamie... À la fin du concert, après la séance de dédicaces, le Pierrot vient me voir, bouleversé, au bord des larmes. «T'es là demain?

— Ben non, je dois partir pour un autre concert.

— À quelle heure tu pars?

— Neuf heures.

— Je viendrai. Je veux te faire un cadeau pour te remercier.»

Mais pour certaines personnes du public, ces instants de partage sont agaçants au plus haut point. Pour elles, c'est la fausse note de la soirée. À leurs yeux, ces gens qui jouent avec moi resteront éternellement gauches et boiteux. Elles vous regardent droit dans les yeux et vous disent avec mépris: «On est venues pour vous écouter vous. Cette musique-là, ça ne veut rien dire, monsieur, ce n'est pas sérieux, c'est de la supercherie.» Nous avons aussi ce genre de propos: «Pour ma part, je n'écoute que de la grande musique, voyez-vous. Ce que vous faites mérite peu d'intérêt, ça fait sermon.»

Parlons-en, de la «grande musique» donnée dans des salles réservées dans lesquelles si souvent transpirent l'ennui, le conforme et l'établi. Tout est tellement parfait qu'on ne peut rien y rajouter. Tout est engoncé, étouffant, en conserve, sous vide. Le beau labellisé et ritualisé, il n'y a rien de plus intenable que cela...

Heureusement, je connais tout de même quelques chefs d'orchestre genre savants fous et de rares musiciens aussi généreux que débridés, qui font participer le public et arrivent à vous emporter loin de tout ça. Dans les salles de concert, il faut de l'espace et de l'ébouriffé, du ciel aux balcons, du vent dans les rideaux et des étoiles aux corbeilles, pour voir enfin voler tous les «infirmes» de la musique... Il y a autour de nous une multitude d'albatros qui s'ignorent... Soyons attentifs à cela.

Voilà pourquoi, lors des quatre mains en concert, il est normal que quelques personnes du public réagissent ainsi. Il y a des êtres tellement blessés. Pas évident de lâcher en trois notes de musique colères et rancœurs qui donnent un pouvoir. Ce qui me fait plaisir, c'est que cela concerne une infime minorité. Le reste du public demeure sensible à ce partage, je dirais même plus, il en est demandeur. Tout cela montre que les gens espèrent une seule chose dans la vie: l'amour.

Derrière ces quatre mains anodins, deux enseignements essentiels apparaissent.

Le premier enseignement: Parce que je suis profondément en empathie avec la personne qui ne sait pas jouer, le quatre mains révèle qu'il est important de bien s'entourer dans la vie, d'aller vers des personnes qui sont dans la bienveillance, qui savent nous accompagner, nous aident à nous relever tout en riant lorsque nous trébuchons et qui, même si l'on fait des fausses notes, ne doutent pas un seul instant de notre magnificence en devenir. Cette considération est fondamentale. Si je tape sur les doigts de l'apprenti musicien lorsqu'il fait une fausse note, c'est sûr, il arrêtera de jouer. À cause d'un entourage rigide et peu complaisant, parce qu'elles ont fait quelques fausses notes, combien de personnes ont arrêté la musique de leur vie? Parce qu'elles ont été jugées incapables, combien sont brisées à jamais? Des fausses notes, nous en faisons tous. Tout l'art dans la vie est de s'accompagner les uns les autres avec tendresse. Avec de l'humour, du pardon et de l'amour, tout finit par se rattraper, se guérir et prendre un sens. Juger en condamnant arrête la musique de la vie. La personne porte une culpabilité ad aeternam et cette culpabilité la tue.

Le deuxième enseignement concerne notre attitude envers nous-mêmes. Combien nous sommes durs parfois vis-à-vis de nos propres maladresses et imperfections. Là encore, bienveillance, tout va bien. Nous sommes ce que nous sommes, des porteurs de grâce merveilleusement maladroits. Qu'est-ce que la perfection, sinon de l'imparfait qui s'aime et se donne? Mais ce n'est pas si simple. Il semblerait parfois que l'imparfait qui s'aime et se donne ne suffise pas à nous porter vers la perfection… Attention au syndrome de la joie coupable. Beaucoup de personnes ont du mal à être heureuses. Un peu oui, mais pas trop. La fausse note est là, dans le fait que nous éprouvons presque tous cette culpabilité d'être. Pour un peu de plaisir, il faut que je me punisse ou que je punisse. Ce n'est pas conscient, mais pourtant c'est une réalité. Cette bienveillance avec soi-même n'est pas toujours si simple à réaliser, mais elle est la clé menant à la paix. Elle demande confiance et patience, car il faut du temps pour intégrer chaque chose. La bienveillance aide à la réconciliation, intérieure et extérieure, elle permet de vivre la vie sans détruire et se détruire. Oser sa vie avec bienveillance est essentiel, cela permet de trouver le juste équilibre entre faire et ne pas faire. Parfois, même si l'on en a envie, il vaut mieux ne pas faire… La vie est un équilibre incessant entre faire et ne pas faire. Quand il nous arrive de franchir la limite de cet équilibre, inévitablement celui-ci se perd. Au contraire, si l'attitude consiste en un accompagnement bienveillant, la personne va pouvoir poursuivre son chemin de funambule éternel en s'améliorant. S'il n'y a pas d'accompagnement mais au contraire de la condamnation et de la punition, alors plus de chemin, plus de funambule. L'être n'est qu'une chute incarnée, emporté par sa culpabilité…

Il nous faut apprendre à faire en sorte que nos jugements envers les autres et envers nous-mêmes soient généreux, qu'ils soient porteurs de commencement et non de fin. Grandeur et noblesse sont dans cette attitude. Il est clair que nos fausses notes nous relient. Rien que pour cela, elles sont profondément sacrées. D'où l'importance de nous montrer bienveillants à leur égard. À partir de la bienveillance se déclinent écoute et douceur. Dans un quatre mains au piano, c'est absolument essentiel. Ces qualités doivent être appliquées de facto. Autrement, nous sommes soit dans une cacophonie émotionnelle engendrant de la souffrance, soit dans ce que j'appelle un « AMP » : autisme musical prononcé. Par peur, chacun s'enferme dans son jeu et oublie l'autre. Or, n'est-ce pas ce qui se passe dans nos villes et dans notre vie de tous les jours ?

Pour finir sur la bienveillance vis-à-vis des fausses notes, j'aime beaucoup ces propos de Keith Jarret dans la revue *L'Express* : « *L'improvisation est la seule façon d'être présent et fidèle à soi-même.*

L'Express : *Vous voulez dire que tout commence par des erreurs ?*

Keith Jarret : *Et avec l'accident. Souvent, l'accident de l'improvisateur devient une couleur de plus sur la palette du compositeur. Lorsque j'étais enfant, j'ai entendu mon frère Chris, qui ne connaissait rien à la musique, jouer au piano des choses qui m'ont bouleversé. Il se lançait sur l'instrument sans avoir aucune idée de ce qu'il était en train de faire, en suivant exclusivement son émotion. Le résultat était "a-musical", et pourtant extraordinaire. Pendant des années, j'ai cherché à retrouver cette zone musicale que Chris avait créée accidentellement. J'ai voulu apprendre à provoquer des accidents de façon consciente. Faire des erreurs, être maladroit. Je me disais : "Qui es-tu pour juger de ce qui sonne juste ou faux ?"* »

Accueillir ce qui est et ce qui vient est la seule attitude qui puisse nous aider à avancer dans la vie en toutes circonstances, quelles que soient les fausses notes que nous pouvons faire et subir. Quoi qu'il arrive, tout est juste… Quoi qu'il arrive, gratitude.

Chapitre 13

La brebis et le troupeau

« On n'entend pas les notes. Tu les effleures à peine. Pourquoi les joues-tu ainsi ?

— Je ne sais pas.

— Essaie de jouer plus fort. Va au fond des touches.

— …

— Allez, vas-y, ta musique est belle…

— Je n'y arrive pas.

— Ça te fait peur de jouer plus fort ?

— Je n'ose pas… »

La femme qui essaie d'improviser au piano doit avoir une petite soixantaine d'années. Depuis le premier jour du stage, elle se distingue du groupe par sa petite voix douce et son élégance discrète. Je ne lis que de la beauté dans son regard.

« Je n'ai jamais osé…

— Comment ça ?

— Toute ma vie j'ai eu peur. Petite, j'étais prise par quelque chose que je ne pouvais pas nommer, qui était dans la famille et que j'avais "buvardé". J'avais le sentiment que le couple modèle que voulaient représenter mes parents sonnait faux. Mon père et ma mère étaient tout pour moi, et en même temps je sentais des choses difficiles entre eux. Ma mère contrôlait tout. Elle me possédait jusqu'à la moelle, j'étais sous son emprise. Comme je ne la voyais pas heureuse, je me suis mise à sa disposition pour qu'elle soit plus en joie. Ma mère me transmettait sa haine des hommes, alors j'avais peur des hommes… Souvent je me réfugiais dans le silence, je ne parlais pas. Je m'enfermais régulièrement dans un placard dans lequel je me sentais protégée, à l'abri. Mes compagnons de jeu c'était les mots… J'étais dans mon monde… J'étais une petite fille toujours sage, raisonnable, croyant au prince charmant, espérant dans le secret de mon cœur qu'il m'enlèverait de ce cauchemar. À l'adolescence, je ne m'acceptais pas, je n'aimais pas mon corps… Plus tard, j'ai voulu réaliser moi aussi un couple modèle. Je pensais famille… La famille, c'était tout pour moi. Je me suis mariée jeune. Je n'ai pas connu d'autres hommes que mon mari. Bien que je fus très amoureuse, j'ai senti très rapidement que notre amour était lié au passé, complètement fermé, trop "troupeau", alors j'ai voulu l'ouvrir vers une autre façon de vivre. Je me sentais perdue dans cette répétition de schémas, prisonnière, beaucoup trop formatée. Je me sentais mourir… J'avais envie de quelque chose d'autre, mais je ne savais pas de quoi. Un jour, mon mari a rencontré une autre femme. Comme je n'avais jamais connu d'autres hommes avant lui, je ne me sentais pas sûre de moi. Je ne me sentais pas femme. Je me sentais fautive, alors j'ai pris la décision de suivre une thérapie qui m'a amenée à divorcer. Il y avait trop de mensonges. J'avais l'impression d'avoir reconstruit la même atmosphère qui régnait chez mes parents… L'échec de mon couple me plongea dans une profonde dépression. Je ne savais plus où j'en étais. Je me sentais comme une brebis perdue. Pour comprendre ce qui m'arrivait, j'ai commencé à poser des questions à ma mère.

« C'est là qu'elle m'a avoué un terrible secret de famille : "J'ai connu ton père pendant la guerre. Quand il a été fait prisonnier, il a rencontré une femme avec laquelle il a eu un fils. Je ne lui ai jamais pardonné cela. Sache que tu as un demi-frère quelque part en Allemagne. Le demi-frère de la honte." Cette nouvelle me terrassa complètement. Ma mère tenait mon père par la culpabilité. C'est ça qui sonnait faux entre eux et que je ressentais petite. Celui-ci était complètement soumis à ma mère, écrasé par la faute. Son inexistence me faisait mal, me vidait. Quand j'ai voulu savoir pourquoi ma mère éprouvait une telle colère envers lui en particulier et envers les hommes en général, elle me parla d'un inceste qu'elle aurait subi... J'ai eu ma réponse. À partir de ce jour, j'ai commencé tout un travail de nettoyage via les constellations familiales, les stages de développement personnel. Aujourd'hui, je me sens libérée de tout ça, beaucoup plus heureuse, plus vivante.

— Tu te sens prête à oser les fausses notes maintenant ?

— Je ne sais pas, mais j'ai vraiment envie d'essayer. Faire bien et joli, m'enfermer dans un modèle, suivre le troupeau, ça c'est terminé.

— Et avec les hommes, ça va mieux maintenant ?

— Ça va mieux, mais j'ai toujours un peu peur. Je doute beaucoup de moi.

— OK... On retourne au piano ?

— Je veux bien, mais tu joues avec moi, d'accord ?

— D'accord. »

Tout doucement, elle se lance. Je l'accompagne complètement, timide comme elle, j'effleure les notes. La résonance est si belle que nous sommes surpris tous les deux. Elle prend de l'assurance et joue plus fermement. Ça fait plaisir de voir que peu à peu elle s'abandonne. Je suis impressionné par la force de son écoute. Très concentrée, elle se laisse envahir par les sons. Ce qui se passe est bouleversant. Elle gagne en confiance. Notre duo est parfait, synchronicité des notes, des gestes, de nos corps. La grâce est là, sans aucun doute. La musique est sublime, de la qualité d'un enregistrement.

À un moment donné, entre deux notes, nos regards se croisent, je lis dans le sien une gratitude infinie. Quand nous arrivons ensemble à la note finale, les yeux pleins de larmes, elle se tourne vers moi, m'enlace tendrement et me chuchote au creux de l'oreille un « Merci » aussi délicieux qu'inoubliable. « Tu as vu ? lui dis-je, les fausses notes, ça n'existe pas. Elles sont juste dans ta façon de voir les choses, ou de les entendre, si tu préfères. Si ta mère avait choisi le pardon plutôt que la rancœur, elle aurait pu avoir de la compassion pour ton père et accueillir cet enfant de la détresse. Être prisonnier ne doit pas être une chose facile à vivre. Quoi qu'il en soit, ton histoire nous montre une fois encore que la haine sépare et brise, qu'elle essaie de se transmettre, semblable à une terrible maladie contagieuse. Et toi, tu as réussi à ne pas l'attraper. Rien que pour ça, mille fois bravo. Voilà pourquoi tu es si belle… Oui, ose la vie, l'amour, la joie, ose la musique de la vie sans peur… Tout cela est pour toi… Et un jour, j'en suis sûr, tu trouveras celui avec lequel tu joueras en complicité des notes maladroites et fragiles, sur lesquelles vous danserez en souriant tendrement… »

Elle fondit en larmes…

Dans ce monde où tout a perdu son sens par le formatage, le conditionnement social, la culpabilité au service du jeu des pouvoirs, la manipulation des masses, il faut nécessairement nous poser cette question : du troupeau ou de la brebis, lequel des deux est le plus égaré ?

Chapitre 14

Experts en tous genres et irréductibles fausses notes

Par le passé, je fus un expert en fausses notes. Jeune homme, j'allais vers les autres, doutant souvent de moi, mû par mes manques et besoins, maladroit sans cesse, mendiant approbation et reconnaissance, ne réalisant pas toujours les conséquences de mes mots et gestes. Même si je suis loin de tout discerner encore, aujourd'hui le chemin se fait vers plus de confiance et de paix grâce à la foi que j'ai acquise en moi-même et en la vie. Et lorsqu'il m'arrive encore de ne pas trouver la juste mesure, plutôt que de suivre la voie de la culpabilité vers laquelle certains ont essayé de m'entraîner, j'ai choisi d'assumer mes maladresses en tirant de celles-ci un enseignement me permettant de me corriger et de m'améliorer. Si j'ai pu continuer à m'affiner par la suite, outre mes nombreuses lectures sur la spiritualité et le développement personnel, ce fut aussi grâce à la gentillesse et à la patience de quelques personnes qui ont su m'entourer avec bienveillance. Beaucoup de personnes n'ont pas eu cette chance dans la vie. C'est pour cette raison que j'ai voulu, à travers ce livre, donner quelques clés de pardon, de bienveillance et de confiance, qui à mon avis concernent tout le monde à des degrés divers.

Il y a quelques années de cela, lors d'un congrès en Belgique, j'ai rencontré une jeune femme rwandaise, victime du génocide. Elle avait été retirée encore vivante, mais sans bras ni jambes, d'une fosse dans laquelle étaient entassés les corps de toute sa famille, assassinée à coups de machette. Quand l'animateur lui a demandé comment elle se sentait maintenant par rapport à tout cela, elle a répondu : « J'ai compris qu'il n'y avait que l'amour qui comptait dans la vie, l'amour qu'on donne, celui qu'on reçoit, l'amour, l'amour, l'amour... » Elle le répétait comme une litanie, sans tristesse, dans une sorte de joie profonde. Cette femme n'en veut pas à ses bourreaux. Elle est tout amour. À mes yeux, elle est plus sainte que sainte. Elle a compris que l'on ne gagne rien à diaboliser l'humain, qu'au contraire, en le faisant, on crée ce possible.

C'est là que j'ai réalisé qu'il y a vraiment des différences de qualité de cœur chez les gens. Il y a des personnes qui sont prêtes à vous faire un procès pour des fausses notes bénignes en soi, et d'autres qui, malgré l'horreur qu'elles ont subie, choisissent la voie du pardon, voie salvatrice tant elle porte espérance et foi en l'Homme. Il y a parfois cependant des personnes qui ne veulent pas pardonner, qui s'accrochent à leur rancœur telles des moules aux rochers. Elles voient dans le pardon lâcheté, faiblesse et surtout la perte de leur pouvoir sur celui ou celle qu'elles abhorrent. Quel dommage de vivre ainsi. Ces personnes passent complètement à côté de la vie et de son grand mystère. J'aime ce passage du *Notre Père* au sujet du pardon, qui dit : « *Pardonne-nous nos offenses, comme nous pardonnons à ceux qui nous ont offensés.* » Cette phrase est la clé essentielle qui ouvre la porte menant à la grande transformation.

Le pardon est en soi une des plus hautes résolutions harmoniques. Grâce à lui, nos fausses notes, dont certaines sont inévitables, n'ont pas été jouées en vain. Le pardon donne un sens à tout ce qui a été dit et fait, et à ce qui n'a pas été dit et fait. Cet acte vient de notre volonté. Parce que nous l'avons choisi, en cela il nous responsabilise pleinement. Sur ce sujet, je reste profondément bouleversé par cet écrit du frère Christian, un des moines de Tibhirine, pressentant sa fin prochaine : « *Et toi aussi, l'ami de la dernière minute qui n'aura pas su ce que tu faisais. Oui, pour toi aussi je le veux, ce merci et cet "À-Dieu" en-visagé de toi. Et qu'il nous soit donné de nous retrouver, larrons heureux, en paradis, s'il plaît à Dieu, notre père à tous deux.* » Ce texte n'est que pardon pur devant lequel on ne peut que s'incliner respectueusement.

Oui, le pardon libère et fait grandir autant celui qui le donne que celui qui le reçoit. Pour exemple ce témoignage reçu d'une stagiaire lors d'un séminaire :

« *Enfant, j'ai connu la violence. J'ai exprimé mon ressenti par la haine, la vengeance, la colère. Pour me "mater" et contre ma volonté on m'a mutée au 2e RÉP de Calvi (Régiment étranger de parachutistes)... Parce que j'étais une femme, les hommes m'humiliaient, me rabaissaient. Comme à la Légion il est interdit de montrer ses faiblesses, alors je me suis fabriqué une carapace. J'ai connu les profondeurs, les abîmes. Quand je suis remontée à la surface, j'étais une coquille vide : plus d'émotions, plus de sentiments, plus de larmes... J'étais la femme idéale pour servir ce régiment d'élite. J'avais réussi à prendre ma place. Que d'efforts... J'ai passé des examens pour être la meilleure, écraser ces "mâles" pour lesquels je n'avais que mépris. Devenue commandant, j'étais plus dure que les hommes. Quand quelqu'un pleurait pendant les entraînements, je lui disais : "Range tes larmes, y a pas de place pour ça ici." J'étais horrible, sans compassion aucune... Au régiment, ma porte de secours était le piano, c'était ma passerelle vers l'évasion, j'oubliais pour un court instant les aléas de ma vie. À la retraite, j'ai voulu faire du yoga, pensant que c'était de simples exercices d'assouplissement. Mon professeur m'ouvrit les yeux en commençant par assouplir mon cœur endurci. Par lui, je découvrais un autre chemin, celui de la conscience et de l'amour. Avide, j'enchaînais stage sur stage de développement personnel. Peu à peu, je ressentis un besoin vital de pardonner et de me pardonner. Seul un profond pardon me permit de me laver de tout ça. Aujourd'hui je suis enfin en paix, réconciliée avec moi-même et la vie. Cela dit, j'ai aimé la Légion. Il y avait des hommes de tous les horizons venus chercher l'aventure. Que tu sois prince ou mendiant, les mêmes faveurs, le même régime. À la Légion, les hommes sont dans une grande souffrance partagée, et quand nous allions dans des pays en guerre, le plus souvent, notre rôle était de tenter de réunir les factions ennemies. Il est certain que notre présence n'était pas toujours bien perçue par les autochtones, mais la répartition de nos forces selon un dispositif cohérent et leur rapidité d'intervention ont généralement suffi à empêcher des affrontements interethniques. Ce sont ainsi des millions de vies qui ont été sauvées et des haines durables qui ont été évitées durant près d'un demi-siècle. Ce n'est pas rien, tout de même... »*

Quelle profondeur chez cette femme, dans son regard, une bonté sans pareille. Et dans les improvisations au piano, sa musique n'était que douceur. Qui aurait pu imaginer tout cela alors qu'elle commandait ? Oui, le pardon transforme, transmute, guérit des fausses notes. Pour finir sur le thème du pardon, je conclurai avec la bouleversante prière de Ravensbrück :

« Seigneur, ne te souviens pas seulement des hommes et des femmes de bonne volonté mais aussi de ceux qui n'en furent pas. Ne te souviens pas seulement des souffrances qu'ils nous ont fait subir, mais aussi des fruits que nous avons portés grâce à ces souffrances : notre amitié, notre loyauté, notre humilité. Souviens-toi du courage, de la générosité, de la grandeur d'âme qui ont jailli de tout cela. Et quand viendra pour eux l'heure du jugement, permets que tous ces fruits que nous avons portés leur soient comptés en pardon. »

La fausse note la plus répandue de par le monde est de ne pas s'aimer. Il y a énormément d'experts en non-amour de soi, presque tout le monde en vérité. Quand deux experts en non-amour de soi se rencontrent, qu'est-ce qu'ils se racontent ? Des histoires de fausses notes… Ce manque d'amour de soi nous rend dépendants d'énormément de choses, notamment du regard des autres. Ainsi, pourquoi dans la vie se lie-t-on avec telle ou telle personne ? Au début, tout va magnifiquement bien, mais dès les premières difficultés, on se demande souvent pourquoi cet être nous rend malheureux. En réalité, il n'y est pour rien. La seule personne qui nous fait souffrir, c'est nous-mêmes. Le manque d'amour de soi est la source de la plupart de nos problèmes. Le jour où l'on se réconcilie avec ce que l'on est, tout change. L'amour de soi est ce centrage qui permet de ne plus se perdre dans des attentes vaines vis-à-vis de l'autre. L'amour de soi nous amène à rectifier le tir, à faire le ménage si nécessaire… Le dicton «Il vaut mieux être seul que mal accompagné» prend ici tout son sens. Mais quand on s'aime soi-même, on n'est plus seul. On se relie à son Soi profond, émerge alors toute notre réalité.

Le bonheur réside avant tout dans l'accueil inconditionnel de ce que nous sommes… Cette grande réconciliation avec le Soi nous mène à nous libérer des illusions de l'ego et à aller peu à peu vers l'absence du Soi. Le vibrant peut alors de nouveau s'exprimer en nous, nous pouvons nous abandonner aux miracles de l'impermanence qui nous entoure et mesurer à quel point nous sommes miracle impermanent également.

Parmi les experts du non-amour de soi, il y a aussi ceux qui cultivent sciemment la fausse note, tissant là des liens profonds qui les relient à des êtres qui leur sont très chers. Ainsi, cet homme qui me disait : «*Mon grand-père est mort d'un cancer des poumons, mon père aussi, alors je fume pour finir comme eux.*» Le couple, la famille, sont des modèles forts, qui, tout en nous construisant, peuvent parfois nous perdre. Fusionnels excessifs, héritages transgénérationnels. C'est lorsque nous sommes totalement noyés dans mille fausses notes générant une souffrance extrême que se présente l'alternative qui pose les choses clairement : soit je vis, soit je meurs. Il faut choisir maintenant. Quel que soit le pas effectué, il nous libère. C'est radical, simple, tranchant. Bien évidemment, seul le pas qui mène à l'amour de soi sauve...

Chez les experts en tous genres, il y a les experts en fausses notes malgré eux. Ce sont les individus souffrant d'un handicap. Auparavant, ceux-ci constituaient la part honteuse de la famille, il fallait les cacher... Pour certains encore, handicap et fausse note seraient synonymes. Avant, pour ces gens-là, c'était le zoo, tout le monde était mélangé dans des asiles : autistes, handicapés physiques et mentaux, infirmes de toutes sortes... Aujourd'hui, les choses sont bien différentes. Il y a une réelle prise de conscience de l'importance d'accompagner ces personnes en difficulté, et ce, de manière systématique, au sein de centres dits spécialisés. Avec la sectorisation, des équipes étoffées, formées par l'art-thérapie, et une psychologie développée, les choses ont énormément changé.

De belles expériences se font depuis peu en France. Au sein de l'ÉSAT (Établissement Spécialisé Aptitude au Travail) de la rue Érard, à Paris, dirigé par Luc Royet, le chef d'orchestre Hugues Reiner fait répéter ensemble chaque semaine ces personnes à la fois ordinaires et extraordinaires. Il a créé ainsi le Chœur Clément Wurtz, composé de ces personnes en situation de handicap qui interprètent l'*Ave Verum* de Mozart et des extraits de *La Flûte Enchantée* avec l'orchestre symphonique de Paris. Un exemple d'insertion réussie, qui montre que les principaux obstacles sont avant tout de l'ordre de la psychologie, des croyances et des habitudes. Avec de la *reliance* entre familles, intervenants, médecins, ainsi que de la bienveillance, tout le monde s'accorde à dire aujourd'hui que derrière un handicap se trouve une personne capable de haute conscience, digne de regard et d'amour...

Enfin, il y a certains experts de la fausse note qui ne peuvent ou ne veulent pas changer. Ce sont les irréductibles : fumeurs invétérés, toxicos, alcooliques, certains voleurs, violeurs et pédophiles récidivistes, trafiquants en tous genres : drogues, organes humains, femmes, enfants, qui restent enfermés dans leur logique destructrice, trouvant dans leur dépendance ou leur commerce malsain une jouissance certaine… Bien qu'il y ait deux poids et deux mesures dans ces différentes dépendances, peut-on espérer trouver une résolution harmonique chez ces personnes ? Pour certaines, hélas, la résolution semble impossible. La seule réponse que nous savons donner consiste à isoler ces personnes du reste de la société. Pour la plupart, il ne fait pas l'ombre d'un doute qu'elles ont commis des fautes graves causant de lourds préjudices à ceux qu'elles ont approchés. Pour autant, cela nous donne-t-il le droit de les considérer avec mépris ? Dans le milieu carcéral, les détenus subissent bien souvent humiliations, dédain, arrogance. Est-il vraiment nécessaire d'agir ainsi ? Toujours ce besoin de se sentir plus au détriment d'autrui. Il nous faut sortir de cette logique effroyable du « pouvoir sur » qui ne peut que renforcer la haine, pire encore, la justifier. Un individu qui est libéré de prison en sort rarement meilleur. Soit il est définitivement brisé, soit sa haine est telle qu'il recommence ses forfaits en allant plus loin dans l'horreur.

En Angleterre, rapporte Angela Neustatter, Paul O'hara, éducateur de la Brigade de suivi des jeunes, a proposé à la Cour de s'impliquer dans un audacieux projet pilote pour la prison de Bradford : soumettre des jeunes délinquants à l'exigeante rigueur de la danse plutôt que les condamner à la prison. Quatre ans plus tard, ce choix porta ses fruits. Plusieurs magistrats assistèrent aux spectacles de fin de formation et en ressortirent bluffés. Le taux de récidive des danseurs stagiaires après leur départ s'élève à moins de 33 %, contre une moyenne nationale de 75 % après une peine de prison ; 80 % ont repris une formation scolaire ou professionnelle, ou trouvé un emploi.

Tout cela me rappelle un concert que j'ai donné au pénitencier modèle de Daroca en Espagne, destiné aux plus grands criminels de toute l'Europe. Invité dans le cadre de Proyecto Hombre, une organisation non gouvernementale se consacrant au traitement et à la prévention des toxicomanies, me voilà avec mon piano dans une grande salle avec deux cents bonshommes assis sur des chaises... Beaucoup ont les bras croisés et sont vêtus d'un simple jean et d'un marcel, montrant tatouages et musculature. Certains ont la mine renfrognée, le visage dur. Le gardien-chef s'approche de moi et me dit : « Ne vous formalisez pas trop si des prisonniers quittent la salle pendant que vous jouez. Ça se passe souvent comme ça quand il y a un concert. » Je remercie l'homme et me tourne vers mon public. En quelques mots j'évoque l'histoire de mon piano voyageur. Un des prisonniers se lève et s'exclame : « T'es allé dans mon pays... » Beaucoup semblent touchés par cette démarche particulière qui consiste à aller à la rencontre de l'autre. Puis je me lance dans l'exécution de *La porte des mondes*. À la fin du morceau, il règne un grand silence. C'est l'effet « varia-cordes ».

Enfin, j'aborde ce qui me tient le plus à cœur : le concert d'émergence. J'invite quelqu'un à venir jouer avec moi. Les hommes réagissent vivement à cette proposition : certains rient en insinuant que je suis fou de demander une chose pareille, d'autres s'excusent, à travers leurs gestes et mimiques je sens qu'ils ont peu d'estime pour eux-mêmes. Ça ne va pas être facile. Soudain, un type, les cheveux longs, se lève : « Moi, je viens, je veux essayer. J'ai toujours rêvé de faire ça. » Je lui livre les quatre clés essentielles — silence, notes repères, amour, écoute — et nous voilà partis. Le gars tremble de partout, avec une main droite timide, il joue les notes aiguës, très loin de moi, comme s'il avait trouvé là une sorte de refuge qui le rassure. Je tire sa main vers moi et l'invite à jouer vers les notes du milieu, les sons médiums. Je me mets le plus près possible de lui, tout contre, je sens son corps vibrer très fort. L'homme a chaud, il est ému. Au fur et à mesure qu'il gagne de l'assurance, la musique prend forme. Je regarde le public, celui-ci, attentif, est témoin de la transformation d'un de ses compagnons de cellule. Le visage crispé de ce dernier s'adoucit. La joie commence à le remplir. Entre les notes repères, les fausses notes s'égrènent avec sens. J'appuie la cadence, lui donne plus de mouvement, le public ne peut résister à ce souffle de liberté, il tape le rythme dans ses mains. L'énergie de vie est là, c'est manifeste. Emporté par la musique, mon acolyte s'abandonne complètement. Les notes repères, comme des fils, nous raccrochent l'un à l'autre. À l'accord final le gars se lève, le visage lumineux, il jette ses bras en l'air comme s'il avait marqué le but de la qualification pour la finale du Mondial de foot. La salle entière suit le mouvement, l'ovation est générale, même les gardiens applaudissent. Ce que cet homme a gagné, tout le monde l'a gagné. Assurément, en chacun il y a de la grandeur, que seule révèle une foi infaillible en l'être.

Avec les irréductibles, le problème ne se situe pas au niveau de la fausse note, il est ailleurs, dans la conscience du monde et de ses réalités. Pour beaucoup d'entre nous, et particulièrement chez ces personnes troublées, les mots n'ont pas toujours le même sens, la même valeur. Ainsi, pour certains, que représentent les vocables écoute, empathie, amour? Je me rappelle avoir utilisé ces termes en Guinée Conakry face à un milicien. Dans ses yeux, le vide le plus absolu qui soit, aucune résonance. J'ai senti que si cela avait été nécessaire pour lui, il aurait pu me tuer sans aucun état d'âme. J'ai perçu ce même vide lorsque je fus invité à déjeuner par des hauts dignitaires malgaches. Pendant le repas, j'avais beau leur parler d'éveil des consciences, du partage de la grâce avec les gens, de la grandeur de chaque être, leur seul retour fut un «D'accord, d'accord» éludant toute possibilité d'approfondissement. Pour eux, le peuple est juste bon à les servir, l'éveil des consciences, ça ne voulait absolument rien dire...

Pour en finir avec les irréductibles, il y a ceux qui n'aiment rien, portant constamment un jugement négatif sur tout. Profondément blessées, ces personnes sont incapables de s'ouvrir à la vie. Constamment victimes, rien n'est jamais bien et juste, elles se plaignent de tout, à commencer du temps qu'il fait... Dans tous les cas, ces irréductibles de la fausse note ne sont pas là en vain. Leur présence nous oblige à être encore plus irréductibles dans notre foi, notre amour, notre compassion. C'est la réponse que nous devons leur donner et qui permettra à l'humanité de se transformer. L'autre réponse permettant la transformation des irréductibles en fausses notes vers plus de paix intérieure, c'est de les relier au silence. Dans les années 1990, dans plusieurs prisons de l'Inde, des temps de méditation ont été imposés autant aux détenus qu'aux gardiens. Cette méthode appelée Vipassana a 5000 ans d'âge. Elle a notamment métamorphosé le pénitencier de Tihar situé à New Delhi, réputé pour être l'enfer sur Terre. Au bout de quelques semaines, les révoltes s'estompèrent jusqu'à cesser, les gardiens n'usèrent plus du bâton, une étrange sérénité s'installa dans l'établissement carcéral. À tel point que des familles victimes vinrent et viennent toujours aujourd'hui pardonner leur agresseur. « *L'obscurité ne peut pas chasser l'obscurité ; seule la lumière le peut. La haine ne peut pas chasser la haine ; seul l'amour le peut* », a dit Martin Luther King. Mais entendons-nous bien sur le mot chasser. Chaque matin, la lumière du jour « chasse » la nuit en la caressant tendrement pour prendre sa place. Combien de fois ai-je vu l'aube effleurer doucement la nuit ? Point de combat entre ces deux mondes, juste de la tendresse. Et la nuit de frissonner à ces caresses : « Câline-moi plus encore », disait-elle tout doucement, alors le jour de s'enhardir et de la caresser plus encore, jusqu'à ce qu'elle lui laisse toute la place. Nuits et jours s'apprivoisent sans cesse l'un et l'autre, c'est dans l'amour qu'ils se partagent le ciel. Le rose et le rouge ne sont-ils pas les couleurs associées à l'amour ? Et de quelles couleurs sont les couchants et les levants, croyez-vous ?

Chapitre 15

Fausses notes et mémoire cellulaire

Quelle est la vraie nature de l'homme? Question sempiternelle à laquelle certains répondent de lui qu'il est bon, d'autres qu'il est mauvais. Ceux qui croient en l'amour immanent chez l'être humain sont parfois prêts à écharper ceux qui prétendent le contraire. Belle cohérence, qui met en avant à quel point ce n'est pas ainsi qu'il nous faut considérer les choses. Bon et mauvais, ça ne veut rien dire. En fait, il s'agit plus d'une question de processus nous amenant à une autre dimension, que d'une perception manichéenne de la réalité humaine.

Dans notre mémoire cellulaire est inscrite toute l'histoire du monde. Poissons, batraciens, reptiles, oiseaux, etc. Toute la chaîne de l'évolution est visible concrètement pendant la transformation de notre embryon. Avec la forme, l'atavisme. Nul n'y échappe. Que nous le voulions ou non, nous héritons de l'animal ses caprices, son agressivité, son impulsivité, son besoin de dominer, de séduire, de conquérir femelles et territoires. Par nature, nous sommes des prédateurs. D'ailleurs, nous sommes le plus grand prédateur qui soit, le plus puissant que la Terre ait jamais porté. Codes sociaux, morales, lois, religions, n'existent que pour juguler cette profonde réalité archaïque. Il arrive encore que chez certains d'entre nous la pulsion soit la plus forte, mais grâce aux règles qu'il s'impose, l'humain soumis à la bestialité est en train de disparaître. Poings et flèches ont laissé place à télécommandes et téléphones portables.

Mais il y a un mais… Ne sommes-nous pas allés trop loin dans notre volonté d'occulter nos origines, de trancher d'un seul coup dans notre patrimoine génétique, d'enlever la part d'ombre qui se tapit quelque part au fond de notre être ? Nos sociétés urbanisées tentent de nous faire croire que cela est possible. Dans nos rues, réverbères, néons et lampadaires essaient d'écarter l'ombre. La nuit obscure, chantre de la bête, est repoussée vers banlieues et faubourgs. Dans nos villes, l'authentique disparaît de plus en plus de la vie de tous les jours, à commencer par l'alimentation. Chimie, OGM, éléments de synthèse remplacent de plus en plus le naturel. Tout dans notre civilisation est de plus en plus aseptisé, sous cellophane, calibré, balisé… Dans nos assiettes, viandes et poissons sont méconnaissables, sous forme de carrés et de hachis. Fruits et légumes n'ont plus ni saveur ni fraîcheur, les laitages ont perdu leur goût. Par la loi des résonances, l'être humain lui aussi perd sa suavité. Déodorants, parfums, cosmétiques, etc. Sous le fard, l'odeur et le poil se meurent… Ses désirs sont plastiques, sa sexualité est sous plastique, sa vie est sous vide, l'homme des villes est malade. Nous assistons à la disparition de la réalité par la virtualité.

Dans sa vie quotidienne, l'« homo pixellus » devient de plus en plus semblable à l'ordinateur qui le sert. Le sourire est interdit sur les photos des passeports, cartes d'identité, permis officiels. Statistiquement, la machine ne commet pratiquement pas d'erreurs, l'individu oui, alors, pour éliminer tout risque, il faut réduire le facteur humain. Hyper-contrôle et hyper-sophistication nous font croire que la bête en nous n'est plus. Aux moindres soubresauts de celle-ci, télésurveillance et caméras veillent.

Dans la religion judéo-chrétienne, la « Bête de l'ombre » doit être terrassée afin qu'advienne le règne de la lumière sur les ténèbres ; 666 est le chiffre de la Bête, numéros de contrôles, matricules, identifiants sont les chiffres que l'administration attribue à l'homme. *Œil pour œil, dent pour dent, chiffre pour chiffre*... Le chiffre est vaincu par le chiffre. Tout cela n'est que sophisme menant à l'impasse dans laquelle toute l'humanité s'enfonce et s'écrase. Sophisme, car la seule manière de détruire les ténèbres n'est pas de tuer la Bête, mais de l'approcher pour l'apprivoiser. En voulant tuer la Bête, on tue l'Homme.

Éradiquer l'animal en nous est une fausse note. Renier son animalité, c'est se couper du vivant, se séparer de l'univers. C'est ne plus sentir ce qui se trame dans l'invisible, c'est devenir sourd et aveugle au monde. L'animal sait lorsqu'il va y avoir un tremblement de terre ou un tsunami, l'homme, malgré radars et capteurs, est pris au dépourvu. Celui-ci a perdu son instinct, et comme il ne sent plus, il a de plus en plus peur. Comme tout lui est caché, il lui faut tout contrôler. L'hyper-contrôle le rassure, mais en même temps engendre l'hyper-paranoïa. Il faut tuer tout ce qui est animal et tout ce qui s'y rapporte. Dans la nature, nous constatons des extinctions massives d'espèces, et pour le peu qui reste, l'espace de liberté se réduit dramatiquement chaque jour un peu plus... Nos animaux totems, ours blanc, tigres, baleines ne se comptent plus que par quelques dizaines d'individus... Le vivant se meurt dramatiquement. Et pourtant, la présence de l'animal est essentielle, autant pour l'équilibre de notre planète que pour notre équilibre intérieur. Quant à la nature elle-même, elle est parfois tellement violente, générant de véritables traumatismes chez les populations éprouvées par un cataclysme, que son espace à elle aussi se réduit de plus en plus. L'homme-machine a peur et cela se comprend, mais cette peur est par trop excessive...

Dans les familles, la peur s'apprend, se transmet... Tout commence déjà durant la vie intra-utérine... Il arrive souvent qu'une grossesse fasse peur. Combien de parents n'ont pas parfois songé à avorter, affolés par l'arrivée prochaine de cet être, qui survient bien souvent sans prévenir ? Pas d'argent pour l'accueillir, trop tôt ou trop tard, incertitude de l'amour, peur de l'engagement, cela réveille nos propres blessures… Le fœtus est un véritable buvard, il absorbe toutes les tensions et peurs de ses géniteurs. Lorsqu'enfin la naissance arrive, celle-ci ne se fait pas toujours de manière douce. Trop rares sont les maternités où la mère, entourée de sages-femmes, accouche avec de la musique relaxante. L'accouchement ne se faisant pas au rythme du corps de la mère mais au rythme du rendement pragmatique des réalités financières de l'hôpital, les traumatismes sont réels. La violence de certains accouchements s'imprime pour toujours dans les corps de bébé et maman.

Plus tard, dès le premier âge, l'appel de l'inconnu est là, irrépressible, poussant le nourrisson à regarder et à étudier avec intérêt chaque chose qui l'entoure. Quand l'objet est vu, touché, goûté, il le repousse pour s'intéresser à autre chose. Le problème commence quand, dans ses investigations, le bébé met à la bouche des choses moins bonnes pour lui, telles que de la terre, un insecte mort, un déchet quelconque. La réaction immédiate mêlée de peur de tout « bon parent » est d'enlever l'objet au bébé, en lui disant : « Touche pas, c'est sale. » Si cette attitude parentale est constante, il est évident que le bébé associera de la peur et de la culpabilité à toute expérimentation nouvelle. Ses cellules vont retenir ces ressentis qui resurgiront plusieurs fois dans sa vie à travers diverses expériences, notamment celles de la sexualité. Celle-ci, vécue sous forme de jeux anodins, n'est pas toujours perçue de cette façon par proches et parents. Les réactions familiales, totalement incompréhensibles pour l'enfant, sont néanmoins reçues par lui et s'incrustent dans sa mémoire cellulaire au point de conditionner sa vie affective future.

Je me rappelle ainsi l'histoire d'une fillette de 10 ans, lors d'un mariage, qui s'amusait à faire tourner sa robe en dansant et montrait sa culotte aux autres enfants. La scène se passait dans une salle des fêtes. Nous étions tous à table, deux cents personnes assises à parler autour du café clôturant le repas nuptial. Dans le coin de la grande salle, les enfants riaient. Soudain, une jeune femme se lève et attrape violemment la gamine par le bras. « Petite dépravée, tu n'as pas honte ? » Grand silence. Tout le monde regarde la mère en train de réprimander durement sa fille tout affolée et en larmes. Je n'ose imaginer les dégâts causés par cette réaction terriblement injuste, et totalement indéchiffrable pour cette enfant. Il est quasiment certain que cet événement fort s'est inscrit en profondeur dans l'esprit de l'enfant. Pour une société empêtrée dans la morale judéo-chrétienne et le puritanisme, la mère a très bien agi. C'est une « bonne mère ». En fait, la mère a transmis à sa fille à la fois ses peurs, ses frustrations et ses colères. Il arrive aussi que, parfois, derrière les mots « bonne mère » ou « bon père » se cache une autre terrible réalité, celle d'une relation fusionnelle inconsciente avec l'enfant, véritable inceste psychologique. L'enfant est sous l'emprise du parent, une emprise qui s'inscrit profondément dans ses cellules, conditionne tout ce qu'il est, dit et fait. Sans qu'il en ait conscience, ses choix de vie dépendent complètement du regard parental auquel il s'est soumis. Les relations affectives se vivent souvent dans la peur de la faute, étant perçues inconsciemment comme une « trahison ». L'enfant trompe sa mère en aimant son papa ou son père en aimant sa maman, c'est le syndrome de l'aliénation parentale… Il peut aussi le ressentir en aimant quelqu'un de totalement étranger à la famille… Seule une profonde prise de conscience et un pardon infini peuvent amener la personne à se libérer de ce traumatisme.

Parfois, il arrive que durant notre enfance, notre entourage proche nous dise implicitement et explicitement : « Ne va pas vers les gens que tu ne connais pas. » Par ces propos, on nous a incités à la peur, poussés à la méfiance. Là encore, ces messages, parce que récurrents, sont imprimés en nous… Les adultes adressent au petit enfant toutes sortes de projections qui n'ont rien à voir avec sa réalité. Tout cela s'inscrit dans ses cellules et détermine l'être qu'il sera, de son système immunitaire à sa façon d'être et de penser.

Voilà pourquoi, dès que l'on sort des sentiers battus, que l'on ose aller un peu plus loin dans la vie, s'installent généralement en nous de la peur et de la culpabilité. Une inhibition profonde est là, mystérieuse, nous empêchant de nous dépasser. Notre âme a soif, mais notre corps dit non. Notre âme a la nostalgie des grands espaces célestes dans lesquels librement elle allait traverser les autres âmes tout en se laissant traverser elle-même… Notre corps blessé n'ose pas, il a mal sur cette Terre où tout n'est que distance, limites et frustration. Tout cela explique pourquoi, dans nos sociétés policées, le commerce des «désinhibiteurs» ne peut être que prospère. Drogues en tous genres, alcool, tabac ne sont que de tristes passerelles censées nous relier et nous emmener vers plus de liberté. Mais quelle liberté, et à quel prix ? Là encore, fautes et culpabilité sont au rendez-vous. Il n'est pas difficile de comprendre comment la société a réussi à construire des murs entre nous, nous enfermer dans des boîtes à petites fenêtres, comment elle a réussi à nous dompter, nous formater… Mettez une croix dans la case: fonctionnaire, profession libérale, étudiant, autre… Est-ce cela notre réelle destinée ? Sommes-nous petits au point que juste une croix dans une case nous définit ? Oser la vie implique trop de peurs. Pour nous rassurer, nous nous créons des utérus artificiels. Portails, clôtures, murs… J'aime ce que dit Pierre Rabhi à ce sujet: «*Nous partons en caisse travailler dans une boîte, le samedi nous sortons en boîte pour nous caser avec quelqu'un.*»

Quoi qu'il en soit, les temps changent, l'aube d'un nouveau jour se fait sentir. Certains, qui n'entendent rien au chant de la vie, l'appellent la crise financière ou crise économique, d'autres pensent que c'est la fin prochaine du monde. En réalité quelque chose d'extraordinaire est en train de se produire, que quelques-uns devinent et que d'autres voient déjà. «*Ce que la chenille appelle la fin du monde, le Maître l'appelle un papillon*», nous fait remarquer avec justesse Richard Bach. L'humanité mute… Elle accouche d'elle-même. «L'utérus» en boîtes de plastique, d'acier, de verre et de béton, en lequel tant d'âmes suffoquent, craquèle, se fissure, s'entrouvre… L'humanité est en train de naître, et pour cela, il lui faut lâcher ses peurs et ses colères. C'est sa destinée de s'affranchir de tout cela. C'est l'heure de la délivrance, du grand lâcher-prise, l'homme n'est plus guerrier, il se transforme, se spiritualise… L'homme nouveau émerge enfin, empli de gratitude vis-à-vis de ses mémoires constituées par tous ceux et celles qui sont venus avant lui et ont permis qu'il advienne. Il sait que nous sommes les fruits d'amours parfois hostiles et souvent maladroits, et en même temps tellement merveilleux… Il sait que nous sommes tous blessés profondément, que nous portons la marque de la douleur, mais l'homme nouveau s'assoit tranquillement face à cette mémoire collective, lui parle doucement, la caresse avec tendresse. L'homme nouveau n'est que pardon. Cet homme nouveau est conscient qu'il n'est pas plus que les autres organismes et créatures qui l'entourent, que toute vie mérite considération, des bactéries aux baleines. Cet homme s'incline enfin devant le miracle de toute vie. Habité par un sentiment supérieur à l'instinct et à la chaîne alimentaire, l'empathie, il n'est qu'amour avec tout le vivant. Il sait que nous ne sommes qu'un seul corps, avec en ses cellules, non pas juste la mémoire de nos géniteurs directs, non pas la mémoire de toute l'humanité, mais la mémoire du vivant de l'univers tout entier… Cet être existe déjà, c'est la femme ou l'homme réalisé, accompli. Ils sont de plus en plus nombreux de par le monde à agir en faveur de la prochaine humanité, offrant de nouvelles capacités, portant de nouveaux paradigmes, ouvrant de nouvelles voies. Cet être est à multifacettes, poète et informaticien, musicien et agriculteur, danseur et charpentier, conteur et comptable, profondément charnel et immensément spirituel… En lien avec tout, en synergie avec tous, il est un éternel amoureux.

Dans ce monde de demain, il serait cependant naïf de croire que peurs, souffrances, ombres et doutes n'existeront plus. La peur est vitale, elle permet de développer le réflexe de survie nécessaire en cas de danger. Ombres et doutes sont tous deux piliers de la foi… Quant à la souffrance, elle sera toujours là, car notre corps nous éprouve presque toujours : blessure, maladie, et pourtant… J'aime cette histoire du sage arrêté et torturé par des Romains. Allongé sur la table à supplices, le sage dit au bourreau et au centurion : « Si vous poursuivez ainsi, ma jambe va se casser. » Alors que le bourreau officiait, effectivement, la jambe se brisa. Le sage, sans un cri, les regarda et dit : « Vous voyez, je vous l'avais dit. » Impressionné par tant de force de caractère et de dignité, le centurion le libéra. Oui, je crois à cet homme neuf jusque dans ses cellules, animé d'une conscience emplie de joie et d'humilité, capable de transformer toutes ces inévitables fausses notes de la vie que sont peurs, souffrances, ombres et doutes en merveilleuse musique…

Au piano, lorsque je dis à une personne : « Tu sais, tu as le droit de faire des fausses notes », je sens tout son corps se détendre, je l'entends pousser un soupir de soulagement et exprimer un petit sourire de plaisir. Elle sait qu'elle va être accueillie jusque dans sa part la plus fragile, et cela l'apaise, la rassure. Le fait que je l'invite à jouer en mettant de l'amour dans son geste, cela l'intrigue et lui parle en même temps. En son for intérieur, elle sait que c'est juste. Elle pose son regard sur le clavier, sur ses mains, choisit un doigt, une touche… Une note se joue doucement, puis une autre qui vient s'entrelacer avec la première. Très vite, je sens le corps de la personne se détendre, ses épaules se relâcher. La musique est belle, profonde, envoûtante. Peu à peu, à travers l'improvisation, la personne découvre qu'il n'y a pas de fausses notes. Tout son être, jusqu'à ses cellules, enregistre cet autre message. La personne s'abandonne littéralement, et c'est magnifique de vivre cela en direct. L'instant porteur de grâce coule à travers elle, éphémère, habité uniquement de tendresse… Quand elle s'arrête de jouer, les gens demandent : « Tu as déjà fait du piano ? », « Jamais », répond-elle, complètement abasourdie par ce qui vient de se produire. Remettre l'être en contact avec sa grandeur, le réconcilier avec lui-même, le libérer de ses peurs, de ses blessures profondes, tout le travail est là.

Au sujet des blessures, à l'occasion d'un stage, une femme me dit : « J'ai passé ma vie à vouloir être parfaite, j'ai emmuré mon fils avec mes exigences. Un jour il est parti de notre maison de Paris en me disant qu'il ne voulait plus me voir. Maintenant il est sculpteur sur l'île de la Réunion et je n'ai plus de nouvelles de lui depuis des années. Je me sens fautive depuis que je ne le vois plus. Maintenant, je suis métastasée de partout et ne sais si je le reverrai avant de mourir. Ça me fait du bien de vous entendre quand vous dites qu'il n'y a pas de fausses notes. Je me sens meilleure. J'aimerais tellement le revoir. »

Je l'ai prise dans mes bras et lui ai dit : « Vous êtes magnifique, pourquoi chercher ce que vous êtes déjà ?

— Oh moi ! me dit-elle en sous-entendant qu'elle ne valait pas grand-chose. Je suis huguenote, vous savez, alors pour me libérer de tout ça... »

Avec une tendresse infinie dans chacun de mes mots, je repris : « Brasse le voile, étreins la noirceur, pétris-la comme du pain en devenir... Traverse le sombre en toi qui te pèse et véhicule de vieux souvenirs propres à te martyriser. Tout est beau à vivre, au-delà du connaître et du paraître, farouchement libre et impétueux, sauvage jusqu'à la sueur... Que la lumière de ton regard brûle l'ancien à jamais... »

Elle se serra contre moi et se mit à pleurer doucement.

Ce qui est bon à vivre, c'est quand les gens s'abandonnent complètement. Pour certains c'est immédiat, pour d'autres il faut plusieurs jours, plusieurs séminaires. Mais quand advient un tel abandon, c'est grandiose. Lorsque les personnes rentrent chez elles, il arrive qu'elles m'écrivent et me disent des choses totalement inattendues telles que : « *Depuis notre travail, je redors, je ne fais plus de cauchemars* », ou « *Je me suis réconcilié avec mon père, ma mère, mon beau-frère* », ou encore : « *J'avais tout le temps mal à tel endroit et depuis c'est fini…* » J'avoue moi-même être assez perplexe parfois quant à la réelle relation qu'il peut y avoir entre le séminaire et la guérison de certains maux. Quelle importance ? Je ne peux qu'entendre et accueillir ces retours qui me touchent. Voici à ce sujet ce commentaire aussi beau qu'étonnant d'une participante :

« Le stage que nous avons vécu ensemble est d'une magnificence inouïe, que je savoure sans modération. Pour moi, il s'est passé quelque chose de très concret dont je n'ai pris conscience que récemment. Vendredi et samedi j'avais le bassin douloureux, ce que je mettais sur le compte du voyage en voiture, puis de la position assise pendant le stage. Je bougeais avec beaucoup de précautions, redoutant un blocage. Et puis vint le dimanche matin, ce moment mémorable où tu as accompagné trois personnes à s'ouvrir, à oser. Ce fut si fort que tu proposas une pause. Pour moi, ce fut un temps de silence pendant lequel je me suis laissée bercer par ce qui venait de se passer. J'ai un peu marché dans la maison, dans la cour et en revenant dans la salle, deux personnes jouaient au piano. J'ai alors eu envie de danser… ce que j'ai fait, tout simplement, et ce faisant, mon bassin était libre, léger, je n'ose pas dire… guéri. Et pourtant, c'est la vérité qui s'impose à moi aujourd'hui. Ce bassin, il a souffert, il y a plus de quarante-cinq ans, d'un choc dans un accident de voiture. On s'était inquiété du "coup du lapin" que j'avais vécu, mais absolument pas de la peur de mourir que cet accident avait provoquée dans mon inconscient. C'est en travaillant sur mes peurs, quarante ans plus tard, que j'ai eu la certitude que mon bassin s'était tassé sous le choc. Ce choc, il m'a coupée en deux, le haut et le bas ne communiquaient plus naturellement. Et ce qui s'est réparé ce fameux dimanche, c'est cette coupure. J'ai été réunifiée, le haut et le bas, mon bassin pouvant à nouveau accueillir cette énergie de vie qui nous transperce. Cette énergie, je l'avais étant enfant et adolescente, aimant la partager dans le massage, puis je l'avais perdue.

*Quelle grâce ai-je reçue là ! Vous voyez comme ce n'est pas ano-
din. Depuis que je suis rentrée, je me sens comme un baobab, le
tronc dans ma colonne vertébrale, son feuillage dans ma tête
au-dessus, et ses racines dans mes jambes en dessous ! Tout le
ressenti de mon corps a changé, et ce dernier se renforce indéniablement et très rapidement. Cet après-midi, c'était la sensation d'avoir "les reins solides". Comme c'est bon !* »

Quoi qu'il en soit, l'objectif de ces ateliers est d'amener les
personnes à prendre conscience que la grâce est là pour elles
aussi, qu'elles sont belles, qu'elles ont de la valeur. Le reste, je ne
l'avais même pas imaginé. Et d'ailleurs, je ne l'imagine pas, je ne
suis pas médecin. Ce que je sais seulement, c'est que le simple fait
de dire aux personnes qu'elles sont capables, qu'elles méritent la
vastitude de la vie, qu'elles ont droit à l'amour, qu'elles sont
amour, leur fait du bien. Je sais aussi que le simple fait de leur
dire qu'elles ont le droit de faire des fausses notes et qu'elles ont
du sens parce qu'elles sont porteuses de vie, là encore, leur fait du
bien, les déculpabilise. Cela touche quelque chose en elles, très
profondément.

La musique nous permet de dire sans mots des choses qui
passent la barrière du mental et de l'intellect. Cette création reliée
aux instants lance partout des vibrations pleines de liberté et de
rires qui apportent un message de vie joyeux et guérisseur à nos
cellules. Ce qui vibre pour notre être vibratoire, voilà sans doute
le plus court chemin pour s'accorder avec soi-même, les autres et
la vie… Je suis convaincu que ce message musical atteint la
mémoire cellulaire, nettoie et déprogramme formatages, héritages familiaux, croyances, en mettant à la place joie, compassion, humour et amour. Parce que l'être s'ouvre à lui-même, il
reprend contact avec son origine profonde, se réconcilie avec
celle-ci et peut allier son instinct à sa conscience.

Souvent, nous cherchons la cause de nos défaillances, peurs
et multiples maux. Quand on a compris que toute l'histoire de

l'humanité est inscrite dans les cellules, on réalise qu'il n'est pas vraiment nécessaire de chercher l'origine de nos problèmes dans l'histoire de notre famille. La faute ne vient pas de l'arrière arrière-grand-père qui a couché avec sa fille ou de la grand-mère qui a tué le grand-oncle avec sa méchanceté, la faute réside dans l'histoire de l'humanité tout entière. Et celle-ci est ancrée en nous. Depuis que le monde est monde, l'homme s'étripe, se viole, se pille lui-même… Tout en ayant l'âme des grands bâtisseurs mystiques, nous sentons tous la sueur des amours interdits et le sang de tous ceux que nous avons massacrés et soumis… Cela dit, il existe des personnes qui restent prisonnières des mémoires ancestrales. L'énergie négative d'une grand-mère, la forte vibration d'un lointain cousin jaloux et violent, les qualités de conscience de nos ancêtres se transmettent tout comme se transmet l'ADN parental à l'embryon. La mémoire se retrouve aussi au niveau de notre conscience, ce qui nous permet de parler de *conscience cellulaire*. Pour se dégager de ces fausses notes, il existe un travail remarquable : la psychogénéalogie, qui pacifie ces mémoires familiales. Nous harmoniser avec le passé nous harmonise au présent et guérit autant les défunts que les vivants… À ce sujet, j'aime ce texte de Jef Gianadda, peintre et sculpteur suisse, véritable métaphore poétique, qui parle de froissures plutôt que de mémoire cellulaire :

« *Nuit amniotique et utérine. Puis, la première respiration, la tête déjà dans l'au-delà de la mère, dans la lumière de la vie, le reste du corps parfois encore enfoui au plus profond de la sérénité fœtale. Premier froissement franchi, le pli le plus intime. Premier cri. Tout flapi, fripé, froissé, comme déjà usé par la destinée à venir… Nuit éternelle et mystérieuse. S'annonce le dernier souffle, l'esprit déjà dans l'au-delà de l'humanité trépidante, dans l'obscurité de la mort, le reste du corps parfois encore prisonnier du brouhaha terrestre. Souvent ridé, plissé, sillonné, comme au premier jour. Enveloppé dans les plis ultimes du* linceul, prêt à franchir le seuil de l'inconnu... Entre ces deux éternités, entre ces deux silences : une existence. Chemin d'expériences, toujours complice, jamais complètement lisse. Accidents, ruptures, maladies, imprévus, crises, trahisons, chagrins, revers... D'âpretés en tourments, nous traversons les obstacles ; d'écorchures en griffures, nous dépassons les meurtrissures. Stigmates de nos souffrances et de nos déchirements, nos froissures se font les preuves de nos épreuves. Signatures de nos destins, nos froissures sont autant de témoins de nos authenticités. Miroirs de nos beautés illusoires, nos froissures nous rappellent à nos porosités perdues. Dans le fracas assourdissant de la blessure originelle. »

Chapitre 16

Les noces intérieures

Ce chapitre est une invitation à la rencontre. La plus belle qui soit : la rencontre avec soi. Je vous invite un instant à faire l'expérience d'une méditation. Recueillez-vous en installant le silence à l'intérieur de vous. Centrez-vous dans votre corps et écoutez votre respiration. N'écoutez qu'elle, laissez-vous bercer par elle, détendez-vous plus encore et sentez comme celle-ci s'apaise peu à peu. Des pensées vous traversent l'esprit? Laissez-les passer, ne vous y attachez pas.

Quand tout est vraiment calme, entrez alors dans votre tête. Imaginez que vous êtes dans une sorte de sanctuaire secret, une grotte, ou un tunnel, comme vous voulez, et là, vous trouvez une porte cachée. Vous l'ouvrez et vous voyez un escalier qui descend. Prenez-le. Vous descendez, descendez, descendez pendant un long moment. Visualisez cet escalier, imaginez ses parois, les murs, le plafond. Plus vous descendez, moins il y a de lumière et soudain, vous arrivez dans une pièce très lumineuse. Dans cette pièce se trouve un animal assis.

Ne bougez plus et assistez à la scène qui suit. Si vous êtes un homme, vous voyez une magnifique femme nue qui s'avance doucement vers l'animal. Si vous êtes une femme, c'est un bel homme nu qui va vers l'animal. Imaginez l'animal. À quoi ressemble-t-il ? Est-ce un ours, un singe, un chat, un oiseau ? L'homme ou la femme semble connaître l'animal. Il ou elle l'approche jusqu'à le toucher, se met derrière lui et lui enlève doucement son habit de poils ou de plumes. Totalement nu à son tour, l'animal humanisé se lève et se pose devant la personne. Les deux corps se serrent dans une étreinte douce. Cette union déclenche une puissante lumière, mais qui n'est pas éblouissante.

Vous laissez ce couple pour aller doucement vers l'escalier que vous prenez afin de retourner à votre grotte, votre sanctuaire secret. Arrivé en haut, vous vous posez là un petit moment. Sentez le feu intérieur que vous venez d'éprouver et que nul ne pourra éteindre maintenant. Savourez-le. Inspirez longuement puis expirez plus longuement encore. Répétez cela trois fois… Faites silence et… ouvrez les yeux…

Le lien le plus essentiel qui soit est sans aucun doute celui-ci : le lien avec soi-même. Combien de personnes ignorent cette réalité et, sans en être conscientes, sont en conflit avec leurs polarités ? Il est primordial que notre animus rencontre notre anima. Le fait que notre animus prenne apparence humaine est fondamental. Il est très important d'humaniser ce que nous sommes en profondeur. Les contes, porteurs d'archétypes, ont abordé ce thème de façon récurrente. Le plus connu étant celui de *La Belle et la Bête*. Tant que la Belle n'embrasse pas l'animal, celui-ci ne peut prendre forme humaine. Si l'on veut que ce monde soit amour, commençons donc à installer l'amour au plus profond de notre être. Ce lien interne est l'expression d'une profonde communion du soi avec le Soi. Cette réconciliation intérieure nous donne une force immense, elle nous alimente en joie, en paix, en confiance. Elle nous permet de traverser la vie sereinement et d'en saisir plus facilement les dialogues enchantés.

Chapitre 17

Les dialogues enchantés

Cela pourrait être le vacarme tant il y a de créatures, mais tout n'est que murmure et frissonnement. Partout, tout chante et danse au bord du silence, afin que chacun ait sa place pour faire et dire. Dans une vaste clairière, non loin de là, un arbre fasciné tend sa cime pour suivre le soleil dans son couchant. À peine celui-ci disparaît-il à l'horizon, que déjà ses branches désignent la discrète naissance de la première étoile du soir. Alors que la nuit apporte froid et solitude, l'arbre confiant médite ses fleurs et bourgeons. Sur ses ramifications, givre et rosée s'entremêlent amoureusement et scintillent sous la lune. Le monde est un diamant vibrant auquel l'arbre répond en étirant branchages et racines comme des prières. Les arbres sont des passerelles verticales reliant les mondes telluriques aux mondes célestes. Certaines nuits, anges, démons et animaux de toutes sortes se retrouvent entre souches et frondaisons pour s'aimer. Les arbres archivent les amours de ces deux mondes qu'ils conservent dans leur tronc. Avec leurs racines et leurs branches, ils attrapent tous les messages, de rocailles à nuages, afin de les redistribuer à l'ensemble de la création. Terres et cieux attendent leurs courriers et, en les lisant, pulsent d'amour à tous ces mots d'amour. Les ultimes feuilles frémissent, elles font croire que ce sont elles qui font le vent, la pluie et le beau temps. Les plus caduques sont les plus bavardes. Elles ont si peu de temps et tant à raconter.

Sous l'arbre, un cheval blanc comme neige attend. Que fait-il là? Qui vient-il chercher? Alors qu'un ruisseau les caresse l'un et l'autre, l'herbe chuchote au rocher: «Ton cœur est si tendre, laisse-moi l'habiller.» Et la pierre de susurrer: «Tu es si douce, traverse-moi plus encore jusqu'à me fendre, et je te livrerai alors mes rubis.» Le ruisseau emporte ces mots jusqu'au fleuve qui les lance aux nues, les nuages les enveloppent délicatement. Le vent souffle l'humble espérance du ciel, et même si celui-ci parfois tempête jusqu'à ouvrir les sols, ce n'est que de la passion qui s'abandonne jusqu'à semence. Ainsi fécondée, la terre enfante toute la vie nécessaire à la vie. Là-bas, un oiseau blessé appelle. Tout lui répond, mais personne ne vient. La douleur lui indique qu'il est temps de partir, *d'où l'heure* de mourir à soi pour renaître sous une autre forme, ailleurs, plus loin, parfois même au-delà de ce monde…

Mais que sont la distance et la forme face à l'amour? Arbre, ciel, eau, terre, cheval, oiseau, herbe et roc, tout n'est que différences… Et pourtant, tout s'enchevêtre avec grâce. Le chêne qui caresse le zénith n'est pas plus que le roseau, le rocher pas moins que l'eau qu'il abrite en son sein. Seuls certains hommes, sourds et aveugles à ces dialogues enchantés, cherchent à revendiquer leur suprématie et font de la différence une raison de se détruire. Pendant ce temps-là, à chaque instant, par un insondable mystère, la vie jaillit et s'épanouit dans des formes et des couleurs, des rythmes et des harmonies qui semblent impossibles, impensables, imprévisibles. Dans une merveilleuse lenteur, la vie est souverainement libre. Comment désespérer quand celle-ci nous livre tant de grâce et d'émerveillements? Chaque instant porte en lui une révélation qui nous est aussi destinée, et cela rend l'humain autant magique que magnifique. Aussi, comment ne pas être bouleversés jusqu'au vacillement par ce que nous sommes ? Comme il est bon de traverser ces dialogues enchantés en s'y abandonnant. Ils nous échappent bien souvent, se croisent et se décroisent par-delà l'espace et le temps, se voient et ne se voient pas, s'entendent et ne s'entendent pas.

Cependant, il arrive aussi que ces dialogues ne soient pas toujours enchantés. Il semblerait que la nature également puisse être sourde et aveugle au monde en détruisant tout. Mais quand l'océan se déchaîne, est-ce pour revendiquer sa suprématie sur les terres qu'il inonde parfois ? Quand les vents s'acharnent sur les forêts, est-ce pour écraser leur arrogance verticale ? Quand le sol s'entrouvre et tremble, est-ce par colère ? Quand la nuit gèle jusqu'à être blanche elle-même et que tout se fige au point d'en mourir, est-ce par froide vengeance ? Certainement pas. La nature n'a pas de ressentiment, elle ne calcule pas, elle se livre juste et se délivre en même temps. Ces catastrophes à l'échelle humaine ne sont pas des fausses notes, elles ne sont que chants de la matière, des chants de passion, les plus purs qui soient, des étreintes extrêmes face auxquelles tout homme doit apprendre à s'incliner humblement. Le monde invisible des virus et bactéries, ô combien utile au fragile écosystème, est parfois loin de nous être favorable lui aussi. Il nous agresse souvent bien durement. Tant de choses nous échappent encore. Et même si nous avons maintenant quelques outils pour prévoir et contrer les humeurs versatiles de notre environnement, il n'y a pas lieu de tenir quelconques rancœurs vis-à-vis de celui-ci.

Il s'avère malgré tout que le plus souvent, la nature reste généreuse avec nous et mérite notre respect le plus absolu. Les épreuves qu'elle nous inflige parfois ne demandent pas en réponse une domination sans égard, mais un apprivoisement par lequel nous nous approcherons plus encore de son mystère.

Certaines civilisations ont su faire cela. Notamment, pour citer les plus connues, celles des aborigènes d'Australie, des Papous de Nouvelle-Guinée et des Amérindiens qui ont compris que la nature est en tout point sacrée. Ils n'ont rien bâti, car celle-ci avait tout bâti en mettant tout à sa juste place. Il n'y avait rien à rajouter, rien à enlever car tout était parfait. Ils ont eu cette conscience incroyable de ne pas détruire le Temple. Pendant des millénaires, ils ont veillé à ne rien souiller. Quelle sagesse… Tant et si bien qu'aujourd'hui, depuis l'arrivée de l'homme blanc, il ne reste que très peu de traces de leur passage. En vérité, il reste tout. Ils nous ont laissé l'essentiel : une nature inviolée. Leur temps, contrairement au nôtre, était celui de l'abondance. Ainsi en témoigne ce magnifique écrit de Black Hawk, chef indien : « *Nous avons toujours eu beaucoup ; nos enfants n'ont jamais pleuré de faim, notre peuple n'a jamais manqué de rien… Les rapides de Rock River nous fournissaient un excellent poisson, et la terre très fertile a toujours porté de bonnes récoltes de maïs, de haricots, de citrouilles, de courges… Ici était notre village depuis plus de cent ans pendant lesquels nous avons tenu la vallée sans qu'elle nous fût jamais disputée. Si un prophète était venu à notre village en ce temps-là nous prédire ce qui allait advenir, et ce qui est advenu, personne dans le village ne l'aurait cru.* »

Au sujet de cette arrivée funeste de la civilisation blanche, voici ce que dit Tatanka Yotanka, ou Sitting Bull, grand chef des Sioux : « *Ce peuple a fait des lois que les riches peuvent briser mais non les pauvres. Ils [ses gens] prélèvent des taxes sur les pauvres et les faibles pour entretenir les riches qui gouvernent. Ils revendiquent notre mère à tous, la Terre, pour eux seuls et ils se barricadent contre leurs voisins. Ils défigurent la Terre avec leurs constructions et leurs rebuts. Cette nation est comme le torrent de neige fondue qui sort de son lit et détruit tout sur son passage.* » Même si cent cinquante années nous séparent, ces propos restent toujours vrais aujourd'hui.

Ainsi le montre Chiyesa, un écrivain indien contemporain : « *Enfant, je savais donner. J'ai perdu cette grâce en devenant civilisé. Je menais une existence naturelle, alors qu'aujourd'hui je vis de l'artificiel. Le moindre joli caillou avait de la valeur à mes yeux. Chaque arbre était un objet de respect. Aujourd'hui, j'admire avec l'homme blanc un paysage peint dont la valeur est exprimée en dollars !* »

Pour autant, on ne peut revenir en arrière. L'image numérique qui nous permet de découvrir toutes les facettes de notre Terre, les films documentaires en haute définition qui nous révèlent les richesses de la diversité humaine, notre capacité extraordinaire d'être en quelques heures d'avion de l'autre côté du monde, la communication instantanée par l'entremise d'Internet et de la téléphonie mobile — tout cela élève la conscience et enrichit considérablement les possibles de l'existence. Tout le défi aujourd'hui est de marier les deux mondes. Ce n'est pourtant pas si simple, comme en témoigne ce commentaire d'une amie québécoise au sujet des relations entre Indiens et Canadiens : «*Notre vision des Amérindiens est qu'ils sont tous des terroristes, et eux voient les Blancs comme des minables.*» Tellement compréhensible, après toutes ces guerres sanglantes. Les blessures sont là encore, mais malgré le poids du passé, nous devons sortir du mépris et de la rancœur. Les deux approches doivent s'unifier. Telle est l'inéluctable finalité que nous nous devons de construire dès à présent. La grande sagesse est là, entre ce qui a été et ce qui est, il nous faut établir des dialogues enchantés.

Rappelez-vous cette femme cancéreuse avec laquelle j'avais fait un quatre mains et qui n'avait plus de contact avec son fils. Après notre improvisation, elle m'avait acheté livres et CD. Une semaine plus tard, elle m'appelle. «J'ai lu votre livre, *Le Pianiste nomade*.

— Vous l'avez fini ?

— Bien sûr.

— Vous avez aimé ?

— J'ai adoré. Grâce à lui, j'ai lâché pour mon fils.

— Comment ça ?

— Je suis heureuse qu'il fasse de la sculpture, je suis fière de son choix de vie. Votre livre m'a permis de comprendre qu'il est important de respecter le chemin de chacun. Je me sens tellement plus en paix maintenant.

— C'est génial !

— Mais ce n'est pas tout. Cela fait cinq ans que je n'avais plus aucune nouvelle de sa part.

— Et alors ?

— J'ai reçu un mail de lui avant-hier soir.

— Incroyable. Et que disait-il dans ce mail ?

— "Maman, je t'aime."

— Vous lui aviez dit quelque chose avant ce mail ? Que vous aviez changé de position à son sujet ?

— Non, rien du tout. Je lui écrivais jadis, mais comme il ne me répondait pas, un jour j'ai cessé. Cela me faisait trop de mal d'attendre ses réponses. Nous sommes restés sans contact pendant cinq longues années. »

Cette femme a fait un chemin important qui l'a amenée à plus de conscience et qui peut-être la guérira. Bien sûr, le fils ne sait pas ce qui s'est passé pour sa mère, mais il l'a senti, l'a perçu dans le subtil, et c'est pour cela qu'il lui a écrit.

Les dialogues enchantés sont là, de toute évidence. Ils ont traversé toute la planète par-delà les mots, les écrits. J'avoue que lorsque j'entendais parler de ce genre de choses par le passé, j'étais quelque peu sceptique. Aujourd'hui, le fait de l'avoir vécu, au point d'en avoir la chair de poule, ne me permet plus de douter de cette réalité. Nous avons inventé des outils extraordinaires tels que téléphonie mobile, vidéoconférence, messagerie électronique... Si nous les avons créés, cela veut dire que nous les portons en nous, et qu'un jour, nous saurons communiquer sans eux par télépathie. Cela semble impossible ? Dans les faits, nous le faisons déjà, mais sans en avoir conscience. Combien de fois ne nous est-il pas arrivé d'être appelés par un proche auquel nous pensions quelques minutes avant, ou l'inverse, d'appeler un ami qui nous dit en s'exclamant : « Incroyable, je parlais de toi il y a cinq minutes... » Les dialogues enchantés sont là, partout, en nous ils créent cette musique incroyable de la vie, une symphonie du sens qui va au-delà de nos sens et qui concerne aussi tout le monde invisible.

Par exemple, les microbes qui nous habitent sont dix fois plus nombreux que les cellules qui composent notre corps. Autrement dit, nous sommes composés de 10 % de cellules et de 90 % de microbes ! Il s'avère que nous vivons en parfaite coopération et symbiose avec l'immense majorité d'entre eux. Ils ne sont pas nos ennemis, car eux aussi participent à la grande œuvre de la vie. Il nous faut sortir de notre logique guerrière pour nous ouvrir aux mystères de la sagesse du corps et de sa nature. La maladie ne vient que lorsque nous nous coupons des dialogues enchantés de la vie. La maladie, c'est le mal qui dit : transformez-vous, allez vers plus de conscience, abandonnez toute forme de contrôle, soyez confiant, au service, et épousez dans la joie ce qui est et ce qui vient.

Pour arriver à cela, avant tout, il vous faut vous aimer totalement, sans rien renier de votre réalité, accueillir pleinement la vastitude qui vous habite. L'un des premiers dialogues enchantés à établir est avec le Soi. Nous l'avons moult fois évoqué tout au long de ce livre, le lien avec le Soi est essentiel, il mène à la rencontre suprême. Quand je me rencontre vraiment, je Le rencontre. Seul le dialogue enchanté avec le Soi relie à Sa grâce. Assurément, tout commence là.

Chapitre 18

Le couac qui fait couic !

L a mort semblerait être la fausse note des fausses notes, absolue et fatale dans la musique de la vie. Cependant, malgré toutes les peurs et souffrances qu'elle induit souvent, il se pourrait qu'elle nous invite à aller encore plus loin dans le grand tout. Nous savons que le son vient du silence, et lorsqu'il devient inaudible il retourne au silence. En fait, il en est de même pour nous qui sommes des êtres vivants. Nous naissons dans la vie et lorsque nous nous éteignons, nous mourons dans la vie. Où voulons-nous aller, si ce n'est dans la vie ? Quand je quitte mon corps, c'est pour rejoindre le Corps. Vie et mort ne sont pas contraires, naissance et mort le sont. Plutôt que contraires, ils seraient l'un et l'autre un passage. Quant à la vie, elle n'a pas de contraire, elle est une et éternelle…

Depuis les années 1950, grâce aux progrès de la médecine, notamment en réanimation, des témoignages d'expérience de mort imminente (EMI, ou NDE pour *near-death experience*) sont recueillis par dizaines de milliers. Ils rapportent à peu près tous la même chose : un corps d'énergie se sépare du corps physique, traverse un tunnel, puis apparaît une lumière blanche extrêmement apaisante, avec dans certains cas un comité d'accueil composé d'amis et de membres de la famille défunts… Tous ces ressuscités disent la même chose : « Confiance, la mort nous mène à l'amour. »

Pour autant, même si la mort est un passage, elle reste une terrible épreuve, et l'angoisse qu'elle suscite est tout à fait légitime. Lorsque nous perdons un parent prématurément, que notre enfant meurt dans un accident, ou que l'être aimé nous quitte, emporté par une maladie incurable, douleurs et traumatismes sont immanquablement au rendez-vous. Comment rester confiant alors que l'on ressent injustice, colère et désespoir ? Bien souvent, la mort est une tragédie. Ceux qui nous quittent ne reviendront plus. C'est certain, les mots que sont tendresse, compassion, condoléances demeurent parfois bien insuffisants quand tout un pan de son univers intime s'effondre. Que dire, quoi faire lorsque tout semble brisé et perdu ? Et pourtant…

La vie ne cesse de nous le répéter : aime, chante, danse, toujours, quoi qu'il arrive, ne désespère jamais, car rien n'est jamais fini, tout n'est que transformation perpétuelle. Notre cœur blessé doit s'ouvrir à cette vérité et se rendre disponible comme s'il était vierge de toute désespérance. Plus facile à dire qu'à faire. Et pourtant, la seule véritable épreuve de l'existence est sans doute là : dans ce monde difficile, souvent hostile, garder un cœur confiant et aimant, voilà le défi. Les médias sont sensibles aux exploits sportifs. S'il y a un exploit dont il est vraiment essentiel de parler, c'est bien de l'exploit du cœur qui porte en lui cette puissante conviction : quoi qu'il arrive, aime. Il n'y a rien de plus grand que cela car, j'en suis convaincu, cette foi nous libère de toute mort. Face à celle-ci, seul un abandon confiant à ce qui est maintenant génère la joie intérieure qui permet la transfiguration de notre âme. La mort n'existe plus quand notre âme l'accueille dans la joie. La transfiguration, c'est l'expression de notre métamorphose intérieure, comparable à une seconde mort. Finalement, cela fait écho à ce qui a du sens dans notre existence. Dans la vie, s'il nous est demandé de naître deux fois, il nous est nécessairement demandé de mourir deux fois. Le mystère de la vie éternelle est sans doute là, dans ce double abandon, celui du corps et celui de l'âme. Ce qui se livre se délivre…

La peur de la mort vient de l'attachement que l'on éprouve vis-à-vis de soi-même, des choses et des personnes. Tout nous échappe par définition, alors point de chagrin vis-à-vis de ce qui s'use, se brise et que l'on perd. Il ne faut ni regretter ce qui a été ni se préoccuper de ce qui sera. Seul l'instant présent compte, avec lui nous sommes dans le nouveau sans cesse renouvelé. C'est la définition même de l'éternité. Si nous sommes dans l'instant présent, il n'y a plus de place pour la mort, car à ce moment-là, nous sommes profondément vivants, en lien avec la grâce. «*De quoi jouit-on dans pareille situation? De rien d'extérieur à soi, de rien sinon de soi-même et de sa propre existence, tant que cet état dure on se suffit à soi-même, comme Dieu*», nous dit Jean-Jacques Rousseau. Comme tous les instants, l'instant de notre mort lui aussi porte en soi une grâce. Si nous sommes présents à ce présent, nous sommes de facto vivants. Ainsi pouvons-nous mourir «vivants» et inévitablement vivre les instants qui suivent si nous savons rester en lien avec ceux-ci.

Vient alors la question que nous nous posons tous: que se passe-t-il après? Après, c'est la grande dissolution dans le mystère. En s'abandonnant en lui, nous le rejoignons et devenons à notre tour le mystère. Qu'est-ce que le mystère? Le Soi qui se fond éternellement dans l'amour. Qui dit fusion dit transformation, qui dit transformation dit naissance. Ce qui nous renvoie à la célèbre formule de Spinoza selon laquelle «*rien ne naît de rien et rien ne peut redevenir rien*». La boucle est bouclée. Rousseau utilise le mot jouissance qui est loin d'être excessif. Les Romains comparaient l'orgasme à une petite mort. Quel méga orgasme doit être alors la vraie mort!

En ce qui me concerne, si je devais avoir une maladie à l'issue fatale, j'essaierais de me guérir sans combat. Je tenterais de profiter plutôt de celle-ci pour me pacifier plus encore, pour affiner davantage ma conscience, pour développer ma confiance, pour m'offrir à sa volonté. Si je reste, tant mieux, si je dois partir, tant mieux. Et puis, durer pour durer? Pour quoi faire?... J'ai vu tant et tant de personnes lutter face à l'inéluctable, s'amenuiser peu à peu jusqu'à l'épuisement. Préoccupées non pas par la souffrance du monde, aveugles et sourdes à sa grâce, elles restent emmurées dans leur combat irrémédiablement vain. Tant d'acharnement thérapeutique parfois pour gagner quelques mois, quelques années, tout ça dans un état de santé souvent déplorable, alors que l'éternité des impermanences nous attend... Pourquoi?

À l'aube de mes 50 ans, j'aime me sentir vieillir, voir partir cette énergie qui m'habite... Ma vue baisse, mes forces s'amenuisent, je m'essouffle plus vite, mes bras me portent moins, mes jambes aiment moins marcher... Ça me touche. Je rends quelque chose qui ne m'appartient pas et qui ne m'a été donné que pour un temps. Je me rends compte à quel point toutes peurs et colères sont futiles, que je n'ai finalement que deux seules choses à faire, aimer plus encore et être infiniment reconnaissant pour ce don qui un jour m'a été fait: celui d'être. Je vois dans ma mort prochaine non pas une fausse note funeste, mais une invitation à vivre d'autres musiques... Je n'ai qu'une envie: me donner, en réponse à tout ce que j'ai reçu... Et mon cœur sourit à cette perspective. Je sais que ma mort prochaine ensemencera l'univers tout comme l'ensemence une étoile qui meurt... Savoir que j'ai le même destin qu'une étoile m'enchante et m'honore au plus haut point.

Sans aucun doute, pour moi, mourir est une fête, mourir est une joie. D'ailleurs, il n'y a qu'à voir comment les feuilles des arbres s'habillent au moment de l'automne. D'or, de rouge et d'orange, toutes se parent des couleurs de la passion. Elles brûlent de se donner. Ainsi, à la nuit tombante, alors que je m'en retournais à pied chez moi, je me suis surpris à écouter les frondaisons des arbres me parler. C'était la fin de l'été, le vent annonçait l'automne et les futurs frimas de l'hiver, les nuits interminables, le givre, la glace et les feuilles semblaient très excitées de tout cela. Je les entendais se raconter leurs futurs voyages : « Quand le vent m'emportera, je me laisserai prendre jusqu'au ciel, je visiterai le dessus des nuages, caresserai les montagnes et verrai d'en haut les villes qui s'éclairent. » Une autre : « Pour ma part, j'ai bien l'intention de me laisser glisser sur l'eau jusqu'à m'y fondre et visiter le fond des océans. » Une autre encore : « Moi, je tourbillonnerai avec les autres, nous danserons la farandole et autres rondes. » Et : « Moi, je goûterai aux champignons, aux châtaignes et me laisserai fouler par ceux qui passent jusqu'à me dissoudre dans la terre pour l'explorer. » « Moi, je ferai le tour de la Terre… » Les feuilles jacassaient, exprimant leur joie. J'étais totalement abandonné à leur conversation, lorsque soudain, d'une seule voix elles me dirent : « Nous ne naissons pas pour mourir, nous naissons pour naître encore et encore. »

Chapitre 19

Mise en pratique au piano

Un musicien n'est pas quelqu'un qui joue, c'est quelqu'un qui écoute les instants du monde, et ceux-ci sont tellement beaux que cela le rend amoureux. Être amoureux des instants du monde signifie que nous sommes sensibles à la beauté de la vie. Seulement grâce à cela, nous devenons de très grands musiciens… Un musicien n'est pas quelqu'un qui joue, c'est quelqu'un qui devient amoureux du silence. Mesurez la profondeur de ces propos, intégrez-les dans chacun de vos gestes, chacun de vos sons.

Avant d'émettre un son, écoutez votre corps, posez votre respiration, évacuez toutes tensions, et lorsque vous êtes prêt, appuyez sur la pédale de droite avec votre pied droit et jouez… Si vous jouez beaucoup de notes sans vous arrêter, tout se mélange et très vite cela devient désagréable, insoutenable. Vous ne pouvez que stopper, peu satisfait de votre musique. En vérité, avez-vous vraiment pris le temps d'écouter ce que vous avez joué ? Avez-vous vraiment savouré en conscience chaque son ? Avez-vous mesuré tout leur sens, leur valeur ? Sûrement pas. Alors recommencez. Écoutez de nouveau votre corps, installez votre respiration, appuyez sur la pédale de droite et jouez de nouveau. Et là, écoutez vraiment jusqu'au bout. Ce qui est très important, c'est comment vous allez jouer cette première note. Si vous la jouez sans faire attention à votre geste, elle sera vide comme une noix creuse. Qu'est-ce qui va donner du sens à cette note ? Votre intention. Quand vous jouez, mettez dans cette note tout l'amour que vous éprouvez pour la vie, le monde, les gens, vous-même. Alors elle sera chargée, elle portera du sens. Ça fait toute la différence. Votre intention est très importante. Qu'est-ce que je veux transmettre, donner ? Quand vous créez un son, créez-le avec amour et offrez-le au monde.

L'harmonie a ses lois et ses règles que l'homme n'est pas encore en mesure d'appréhender. Certaines de celles qui sont inscrites noir sur blanc dans les traités et les livres de théorie musicale, ayez le courage de vous en affranchir ! Dans le « tout est possible », il n'y a pas de fausses notes. Tout est juste par essence ! En écoutant les résonances et les silences, vous vous installez dans la musique de la vie. Dans celle-ci, mettez une intention d'amour chaque fois que vous en avez l'occasion, quand vous parlez, créez, construisez des projets, cuisinez… Et vous verrez, tout aura plus de sens, tout sera beaucoup plus exaltant, joyeux et facile… N'attendez pas que quelqu'un vous aide en cela. La meilleure personne qui puisse vous aider, c'est vous-même. La première nécessité est de croire en soi. Gardez le cap, quelle que soit l'adversité, laissez-vous guider par ce qui vous anime réellement. Il en va de votre dignité. Même si vous vous trompez et échouez, vous aurez le mérite d'avoir osé ce qui vous porte. Rappelez-vous que les plus grandes découvertes sont nées d'erreurs ou d'essais abracadabrants… « *Si vous fermez la porte à toutes les erreurs, la vérité restera dehors* », nous dit Tagore. Alors que ce soit sur le piano ou dans votre vie, jouez franchement vos notes sans peur, elles ont de la valeur. Pas une valeur qui se marchande, non, une valeur en soi, simplement. Elles sont ce qu'elles sont, tout aussi importantes que le battement d'ailes d'un papillon, capable de modifier le temps qu'il fait.

Faites de nouveau silence à l'intérieur de vous, appuyez sur la pédale de droite et rejouez un son. Sentez cette différence depuis que vous avez mis une intention positive, et nourrissez-vous de cette différence. Au bout de quelques secondes, alors que le son résonne encore, faites un autre son et écoutez alors ce qui se passe dans votre corps. Laissez-vous envahir par la grâce de chaque résonance… Laissez les sons s'épanouir en vous. Prenez vraiment le temps de les accueillir, de les écouter, sentez quels organes ils touchent particulièrement. Respirez le mélange des sonorités, familiarisez-vous avec ces mariages étonnants. Puis jouez encore une autre note. Acceptez de vous laisser surprendre. Ne contrôlez rien, accueillez simplement. Faites cette expérience pendant quelques minutes en effectuant sur le clavier une danse avec vos mains. Comme un danseur, soignez la chorégraphie de vos gestes pianistiques, dansez au rythme des sons qui s'enchaînent lentement. Savourez. Quand une note vous semble fausse, accueillez-la tout de même, laissez-la s'épanouir et sentez comme peu à peu elle va s'intégrer au tout.

Comme vous pouvez le remarquer, un piano est composé de touches noires et de touches blanches. Les noires sont distribuées sur le clavier de la façon suivante : une série de trois noires, une série de deux noires, trois noires, deux noires, etc. Avec la main gauche (MG), vous allez appuyer sur la touche blanche à gauche des trois noires, et sur une autre blanche à gauche des deux noires. Ces deux notes sélectionnées s'appellent Fa et Do. Le Fa, étant la plus basse, sera la tonale, le Do sera la dominante. Il est remarquable de constater à quel point la vie fait bien les choses : il suffit de poser en premier son petit doigt sur le Fa, puis les autres doigts en suivant le clavier et en veillant à ce que chacun ait sa propre note ; automatiquement le pouce se pose sur la quinte. Pas besoin de chercher ni de réfléchir, le rapport T-D est déjà inscrit dans votre main naturellement.

À partir de ce moment-là, vous commencez à jouer avec votre main gauche ces deux notes en même temps — cela s'appelle faire un accord — en tenant un rythme régulier, comme les pulsations d'un cœur. Ensuite, vous appuyez sur la pédale de droite, et dans le même temps, pour adoucir cette pulsation, vous allégez votre main et enfoncez la pédale de gauche. Prenez le temps d'écouter et installez-vous tranquillement dans ce mouvement. Puis, avec la main droite (MD), vous allez jouer tous les Fa et Do sur le clavier. Si vous ne savez pas où sont les notes, aidez-vous des groupes de trois noires et de deux noires. Je rappelle qu'à gauche des trois noires, vous avez le Fa, à gauche des deux noires, vous avez le Do. En suivant le rythme impulsé par la main gauche, avec la main droite, jouez tous les Fa et tous les Do. Jouées à peine plus fort que celles de la main gauche, ces notes créent une atmosphère apaisante. La musique est déjà là. Faites un aller et retour en visualisant tous vos repères, ce qui constitue un très bon exercice permettant d'appréhender la totalité du clavier.

Si vous éprouvez quelques difficultés de latéralité pour tenir le rythme, voici un petit exercice amusant : main gauche, produisez un rythme et, dans le même temps, avec la main droite, dessinez une fleur, une personne, un arbre dans l'espace. Restez centré, quel que soit l'environnement, car, ne l'oublions pas, l'être humain absorbe tout ce qui l'entoure ; nous sommes des éponges, d'où l'importance de nous relier à l'immanence qui est là, en toute chose, à tous les niveaux de la vie. C'est important d'avoir conscience de cela. Sentez vos doigts bouger tout en ayant un rapport de plaisir avec le piano. Vous êtes traversé, votre cerveau doit faire attention à ce qu'il reçoit. Il stocke, il dirige là où il faut, mais ne contrôlez pas. Ayez confiance. Inconsciemment parfois, nous faisons des erreurs pour donner raison à notre mental. Attention à ne pas nourrir le mental. N'oubliez pas qu'il est souvent le grand saboteur.

Remettez-vous à jouer et écoutez votre corps. Passez celui-ci au scanner afin de percevoir les tensions et cherchez à le détendre plus encore. Jouez dans un état de relâchement. Sentez que ce sont vos doigts qui portent vos bras et non l'inverse. Restez centré même si vous vous trompez dans le rythme. Calme et centré sont les deux mots d'ordre. Vous pensez à votre passé ? Des colères, des doutes, des rancœurs remontent ? Oubliez ! Le passé, on ne peut le changer. On ne recolle pas ce qui a été cassé par la vie. Ce qui est cassé, jetez-le ! Préoccupez-vous uniquement de ce qui se passe en vous. Préoccupez-vous du vivant. Ce que vous faites est plus ou moins juste ? Ce n'est pas grave. Accueillez et laissez venir sans attendre. N'oubliez pas de poser un silence à la fin de vos phrases. Ce n'est pas difficile, c'est juste une question de retenue de la main. Calme et discipline intérieure donnent une immense liberté et nous invitent à être des seigneurs droits et dignes. Que le mot discipline ne soit pas pris au sens militaire mais au sens de légèreté et d'ouverture à l'inconnu, deux choses qui nous permettent de gérer l'inattendu. Soyez simple dans vos déplacements sur le clavier. La vie est si simple, et on se la complique tellement.

Quand tout cela est intégré, il est temps d'oser les fausses notes... Pour que cela fonctionne, la seule condition est de faire des phrases musicales courtes et de s'arrêter chaque fois sur une des notes repères, c'est-à-dire soit le Fa, soit le Do. Et, incroyable, ça marche. Quoi que je joue, tout est juste et beau. Quand vous jouez, n'allez pas tout de suite sur la T ou la D. Ne faites pas la résolution tout de suite. Nous ne sommes pas là pour obtenir un résultat, nous sommes là pour savourer. Prenez le temps d'écouter et d'apprécier ce que vous recevez.

Seulement quelques notes suffisent pour créer une mélodie. Répétée, c'est elle qui donnera une unité et une spécificité au morceau. Pas trop de notes, sinon vous ne trouverez ni le thème ni l'esprit. Le même geste que l'on déplace ailleurs donne l'unité musicale. Une posture de main produira un accord spécifique. Gardez cette posture en mémoire et déplacez-la sur le clavier. Sachez que dans tout motif il y a de quoi faire une œuvre... Pour vous aider, pensez au système de clips dans le jeu de Lego. Les notes repères font office d'attaches autour desquelles la musique va s'articuler naturellement. Presque toutes les musiques fonctionnent sur ce modèle. Nous avons pour exemple les musiques populaires faites de mélodies simples et récurrentes. Dans les musiques dites savantes, les mélodies sont plus complexes, mais les principes restent les mêmes. La musique contemporaine tente de s'affranchir de la mélodie et du rapport T-D pour aller vers des univers plus larges. Le danger réside dans le processus d'intellectualisation qui rend cette musique hermétique, qui nous coupe de la voix du cœur. Mais revenons à vous et à votre improvisation.

Ce que vous dites, ce que vous êtes, est quelque chose de beau et profond. Soyez-en convaincu et laissez-vous porter par la musique qui vous traverse. Rappelez-vous, la grâce est là tout de suite, alors ne doutez pas.

Répétez votre thème en ayant les doigts calmes. Il est plus facile à mémoriser quand le geste est simple et se fait en conscience. Tout en répétant le thème, on peut monter la D d'un demi-ton avec la MG (c'est-à-dire jouer la note placée directement à droite de celle jouée précédemment). Gardez la pulsation MG. Simplifiez la trame de votre jeu. La vie sur Terre, c'est de l'improvisation au fil d'une trame fort simple : le soleil se lève le matin, le soleil se couche le soir, entre les deux, tous les possibles. La trame est là pour que l'illimité s'exprime et se révèle. Redescendez votre D d'un demi-ton avec la MG. Pour garder votre cohérence musicale, transposez votre thème. Un thème transposé, c'est jouer la même mélodie en partant d'une autre note. Cela donne une autre couleur musicale. Pour y arriver, servez-vous des trois mémoires : mémoire auditive, gestuelle et visuelle.

N'essayez pas de faire bien à tout prix, car vouloir faire bien est paralysant. On se rassure avec ça, mais on n'existe pas. Osez carrément sans peur d'autres notes, au risque de faire des fausses notes. Oui, faites des fausses notes, sinon votre musique ne sera qu'ennui. Que faire pour qu'elles soient cohérentes et joyeuses ?

Jouez et ne vous laissez pas piéger par vos émotions de doute et de peur. Vous êtes tellement plus que votre peur… Allez, recentrez-vous sur vos repères. Si vous ne finissez pas votre phrase musicale sur une note repère, reprenez là où vous vous êtes arrêté et terminez sur une des notes repères. Si vous jouez une fausse note, ne montrez rien, car si vous faites une grimace, ou pire, si vous vous arrêtez de jouer, le public s'interrogera et se dira : « Il ne sait pas jouer. » Si au contraire vous ne montrez rien, si vous continuez et la jouez une deuxième fois, le public pensera : « Ah ! c'est peut-être voulu. » Si vous la jouez une troisième fois, il criera au génie ! Pour finir, n'oubliez pas le plus important : faites-vous plaisir. Jouez tout avec votre cœur, même si vous êtes maladroit, vous serez d'office pardonné… Et surtout n'oubliez pas le silence… Mettez du silence, écoutez-le jusqu'à le rejoindre afin qu'il vous habite davantage.

Tendresse, car il n'y a rien d'autre à donner.

Bonne musique à vous.

Chapitre 20

Les douze clés menant à soi

L'écoute du silence
Devenons-en amoureux et écoutons ce qu'il écoute...

La grâce
Elle est là pour nous à chaque instant.
Quand on lâche peurs et doutes, quand on « s'efface »,
tout se révèle.

L'intention
Mettons de l'amour dans tout ce que nous faisons...
sinon nous sommes vides comme une noix creuse.

La conviction
Soyons convaincus tout en étant ouverts au nouveau,
notre dignité en dépend.

L'acceptation de l'amour qui nous est offert
Nous méritons tous de recevoir l'amour. N'en doutons
pas.

La discipline

Il est normal d'être exigeant dans son travail et d'avoir une certaine discipline. Mais que cette exigence soit douce et la discipline ouverte à l'inattendu.

La délicatesse

Nous sommes peut-être en train d'improviser quelque chose de magnifique au piano, mais si notre toucher est agressif, nous passons à côté. Ayons les doigts calmes. Beaucoup de personnes passent à côté du bonheur par manque de douceur avec elles-mêmes et avec les autres. L'immensité est au rendez-vous quand on ose, mais conduisons-nous délicatement.

Le cadre

La musique est si vaste. Pour l'appréhender, il faut un cadre. Les notes repères T et D sont le cadre. Il est universel. Alors jouons, avec cœur, peu de notes. Faisons silence, écoutons, et un motif ou un thème apparaîtra. Retenons-le, répétons-le et transposons-le. Nous faisons l'expérience de l'illimité à travers le limité. Avec les notes repères et le silence, tout prend son sens. Dans la vie, ce que nous sommes est le cadre. Mais souple, le cadre ! Ne soyons pas rigides. Donnons donc à ce cadre la forme d'un cœur.

L'incarnation

Faisons corps, incarnons-nous. Nos fausses notes dans la vie nous ont permis d'être là où nous sommes maintenant. Bénissons-les. En faisant cela, nous assumerons notre incarnation et irons vers la paix. Le piano est un corps avec lequel il faut faire corps. Nous jouons une note que nous pensons fausse ? Accueillons-la ! Faisons corps avec elle, rejouons-la, puis osons doucement sa voisine et la suivante, puis encore celle d'à côté jusqu'à arriver à la T ou à la D. Et là tout se résout.

Bienveillance, empathie, patience et confiance

Le «BEPC» qui permet la transformation nous conduisant à une autre conscience...

Le sacré

Le sacré est partout. Quand on touche au sacré, il nous touche en retour. Soyons dans la joie avec tout. Il n'y a pas plus sacré que la joie.

La pleine puissance

La pleine puissance mène à la grande guérison. Elle nous est dévolue. Nous la méritons tous et elle est à partager sans modération. Seul un homme détaché de lui-même, sans attentes et dans l'humilité, peut vivre la pleine puissance.

Postface

Que cela soit bien clair : ce n'est pas parce que je parle d'amour que je suis toujours dans l'amour. Il m'arrive parfois d'être blessant, de critiquer, de médire. Quand je m'en rends compte, je réalise combien il me faut grandir, combien il me faut aller vers plus d'humilité et de douceur. Pour moi, les mots que sont amour, pardon, bienveillance ne sont pas vains et vides, ils ont du sens, me portent et me guident. Depuis vingt-cinq ans, avec mon piano, je les emmène partout avec moi en essayant de les incarner au mieux. Quelquefois, cela a déplu à certains qui m'ont culpabilisé dans mon rayonnement d'être. D'autres me remercient encore… S'offrir ainsi au monde expose. Cela dit, je n'ai jamais été réellement menacé, et si un jour ça devait arriver au point où je risquerais de mourir, franchement, quel beau sillage… Mourir parce que l'on aime l'humanité, c'est mieux que de vivre dans la peur, la méfiance, la résignation, le contrôle, le dénigrement, le mépris de l'autre… Pour ma part, je ne regrette pas d'avoir souvent trébuché devant l'autre qui est en face de moi. Par mes vacillements, je me suis ouvert à la vastitude et j'ai touché la joie.

Comme en tout un chacun, il y a des fausses notes en moi, et je ne vois en cela qu'un merveilleux cadeau. Celles-ci m'interpellent en m'invitant à davantage d'harmonie. Je sais aujourd'hui que souffrances et maladies surviennent quand nous ne chantons pas la vie. Toute la guérison se situe dans cet acte essentiel qui consiste à déployer sans honte et avec délicatesse les ailes qui nous ont été données. Les fausses notes seront toujours là dans nos existences, mais lorsqu'il y a la bienveillance du cœur, elles deviennent des merveilleuses passerelles menant à « *l'inconnu qui creuse* », comme disait René Char.

Merci à vous de m'inspirer ce merveilleux déploiement. En retour, puissent ces pages vous inspirer à en faire tout autant, à votre manière...

Marc Vella

Bibliographie

BACH, Richard. *Le Messie récalcitrant*, Paris, Flammarion, 2004.

BOBIN, Christian. *Ressusciter*, Paris, Gallimard, 2003.

CARROLL, Lewis. *Alice aux pays des merveilles*, Paris, Hatier, 2002.

CÉSAIRE, Aimé, *Cahier d'un retour au pays natal*, Paris, Présence Africaine, 2000.

COHEN SOLAL, Abraham. *Nez libre !*, Saint-Antoine l'Abbaye, Arts, Rire, Clown et Cie, 2005.

FERRY, Luc. *La Révolution de l'amour. Pour une spiritualité laïque*, Paris, Plon, 2010.

GIANADDA, Jef et Jacques SALOMÉ. *Je mourrai avec mes blessures*, Saint-Julien-en-Genevois, Éditions Jouvence, 2002.

JARRET, Keith. « L'improvisation est la seule façon d'être présent et fidèle à soi-même », *L'Express*, mai 2005.

JOURDE, Pierre. *Le Monde diplomatique*, août 2008.

KRISHNAMURTI, Jiddu. « De la nature et de l'environnement », Ojai, 24 mai 1984.

LA BOÉTIE, Étienne (de). *Discours de la servitude volontaire ou le Contr'un*, Paris, Vrin, 2002.

MAALOUF, Amin. *Les Identités meurtrières*, Paris, Grasset, 1998.

MALLASZ, Gitta. *Dialogues avec l'ange*, Paris, Aubier Montaigne, 1994.

MONTAUD, Bernard. *Il était une Foi...*, Entretiens avec Jean-Claude Duret, Caudecoste, Éditions Édit'As, 2000.

Montjou, Guyonne (de). *Mar Moussa, Un monastère, un homme, un désert*, Paris, Albin Michel, 2006.

Nietzsche, Friedrich Wilhelm. *Le Crépuscule des idoles ou Comment on philosophe avec un marteau : fragments*, Paris, Herne, 2009.

Paul, Patrick et Maéla. *Le Chant sacré des énergies*, Paris, Éditions Présence, 2003. Site : www.interpresence.fr

Rabhi, Pierre. *Vers la sobriété heureuse*, Arles, Actes Sud, 2010.

Rougier, Stan (père). Magazine du lycée Notre Dame de la Providence, Avranches, 2010.

Rousseau, Jean-Jacques. *Rêveries du promeneur solitaire*, Paris, Le Livre de poche, 2001.

Saint-Exupéry, Antoine (de). *Pilote de guerre*, Paris, Gallimard, 1972.

Singer, Christiane. *Seul ce qui brûle*, Paris, Le Livre de poche, 2009.

Tagore, Rabîndranâth. *Le Jardinier d'amour*, Paris, Gallimard, 1980.

RÉFÉRENCES ACCESSIBLES EN LIGNE

Christian (frère). « La lettre du frère Christian, moine de Tibhirine » : http://www.greenchamade.com/la-lettre-du-frere-christian-moine-de-tibhiri

Liberterre. Paroles amérindiennes : http://www.liberterre.fr/actualiterres/culture/index.html

Luther King, Martin. « Discours d'acceptation du prix Nobel de la paix », 10 décembre, 1964 : http://lunamia.free.fr/MLK_fichiers/dis_prix.htm

Mandela, Nelson. « Discours d'investiture », Pretoria, 1994 : http://www.re-so.net/IMG/article_PDF/article_2710.pdf

Messages des Indiens d'Amérique au monde occidental : http://calendrier.celtique.free.fr/indiens.html

Neustatter, Angela. « La délinquance en question ! », *Sélection Reader's Digest* : http://www.selectionclic.com/societe-delinquants-condamnes-a-danser-3280

Oriah (le rêveur d'), sage amérindien : http://www.reiki-voyance.com/index-page-reiki-titre-le_reveur_d_oriah.htm

Remerciements

À « J'ois » joie.

À mes fausses notes commises et subies…

À la compagne de tous mes instants, Cathy, qui m'a assisté avec tendresse dans l'écriture de ce livre…

À mes parents merveilleusement maladroits, éternellement mes parents que j'aime…

À mes filles, Chloé, Camille et Yanaé, qui illuminent mon chemin de vie…

À mon fils qui voit le jour le jour de la sortie de ce livre,

et qui, en venant, met davantage de jour sur mes ombres résistantes…

À leurs mamans qui furent de magnifiques amours pour lesquelles je n'éprouve que de la gratitude.

À mes familles, celles de sang, de cœur et d'âme, qui ne se ressemblent en rien et qui pourtant s'assemblent magnifiquement en moi…

À toutes celles et tous ceux que j'ai croisés du mieux que j'ai pu, qui m'ont tant appris et qui m'apprennent encore…

Enfin, à toutes celles et tous ceux que je ne connais pas encore et que j'accueille le cœur ouvert…

Du même auteur

La Caravane amoureuse, Paris, Presses de la Renaissance, 2008.
Le Funambule du Ciel, Paris, Presses de la Renaissance, 2006.
Le Pianiste nomade, Paris, Presses de la Renaissance, 2004.

TROIS FILMS EN DVD
L'éloge de la fausse note, BigBangBoum Films, 2010.
Le piano amoureux, Flairproduction, 2008.
Le piano des sables, APFilm production, 2003.

Pour vivre des fausses notes ensemble...
La Caravane amoureuse,
les stages et séminaires de Marc Vella,
le Festival de piano improvisé à La Touche
http://www.caravane-amoureuse.com/cara2008-Videos.html
http://www.youtube.com/watch?v=jiQnnqIxOTQ

Un lieu
Domaine d'Essart
Le Petit Chemin
La Touche
16 170 Genac
www.domainedessart.com
domainedessart@gmail.com
Tel : + 33 (0)9 76 00 67 12
Cell : + 33 (0)6 83 29 44 79

Pour en savoir plus
http://jass-life.blogspot.com/2011/05/marc-vella-voyages-dun-
improvisateur.html
http://www.dailymotion.com/video/xiqen2_marc-vella-in-
praise-of-the-false-note_shortfilms
http://www.youtube.com/watch?v=hgoVMWjHeVg
http://www.youtube.com/watch?v=MhAXmPmTvqw
http://www.antennereunion.fr/Marc-Vella.html
http://www.youtube.com/watch?v=HhbxOxJjtyc,
une vidéo avec des personnes âgées et handicapées...

Et pour découvrir la musique de Marc Vella
une improvisation en Capadocce (Turquie) :
www.marcvella.com

Table des matières